Half Time

人生下半场

管理大师彼得·德鲁克强力推荐

[美]鲍伯·班福德 著
杨曼如 译

江西人民出版社

Half Time

人生
下半场

江西人民出版社

人生下半场

目 录

诚挚推荐

这本拨云见日、深具启发性的好书，是出自一位真正杰出人士的呕心之作，探讨我们社会中一个重大的需要：如何在人生的下半场找到意义和成熟感，简言之，如何从成功走向意义。

史提芬·柯威（Stephen R. Cover）

柯威领导中心（Cover Leadership Center）

鲍伯·班福德所著的《人生下半场》，是本剖心解肺、坦诚、引人入胜、感动人心且极具挑战性的灵修书籍，它把成功与意义、死亡与生命、恐惧和慈爱之间的重大选择坦率地呈现在读者面前。作者本身经历了多次的心灵更新，他也真诚地呼吁人们更新心思。

卢云（Nenri Nonwen）

著名作家、心灵导师

许多成功的人都希望人生更充实且有成熟感，但也深知下次的胜利、下笔生意、下个征服或遽增的财富无法带来自己心中真正想要的。本书是特别为这些人写的。让鲍伯·班福德成

为你的向导吧！保证今后的年日将是你一生的黄金岁月。

肯·布兰查德（Ken Blanchard）

《一分钟经理人》作者之一

鲍伯·班福德认为，人生的上半场追求成功，下半场则追求意义，他最清楚个中滋味，因为他已得到成功，现在正在示范人生的意义。你会发现这是一本独特、发人深省且切合实际的书。千万别错过！你将可拥有轰轰烈烈的人生。

麦克斯·路卡杜（Max Lucado）

《你很特别》、《当上帝低声呼唤你名时》作者

鲍伯·班福德是少数几个能把人生焦点由成功转为有意义的罕见例子。本书能教你如何把今后的日子变成人生的黄金时代。我希望我们教会的每位弟兄姊妹都阅读这本充满启发性的好书。

华理克牧师（Dr. Rick Warren）

美国马鞍峰教会主任牧师，《直奔标杆》作者

这是班福德专为读者的心灵密室所写的书。对刚跨入不惑之年，在人生旅程中途正觉心烦气躁、上气不接下气地想做最后冲刺的我来说，《人生下半场》无疑是一杯清新的凉水。

大卫·布拉德利（David G. Bradley）

The Watergate 公司董事会主席

有许多人因鲍伯·班福德的下半生而受惠无穷，我是其中之一。据我所知，这是上帝国度里一个最有效的催化剂。

比尔·海柏斯（Bill Hybels）

芝加哥柳溪社区教会

（Willow Creek Community Church）主任牧师

《人生下半场》……提供一些策划你今后人生的强有力想法。班福德有一个令人心服的概念，能把庞大、全新的力量注入造福社会的计划，且避免我们在事业的下半场得过且过或精疲力竭。

梅利尔·欧斯特（Merrill J. Oster）

Oster Communications 公司总裁

不论在人生上半场或下半场的人，都该阅读此书。我的孩子开始他们的事业时，我希望他们绝不错过此书，因为它会像指南针和地图一样，帮助他们找到人生方向和目的。凡是快要进入或已经进入人生下半场的人，更应该反复阅读此书，它会激励我们采取行动，过个更能造福自己、家人和社区的生活，也更能荣耀造福我们的主。

彼得·柯尔斯（Peter H. Coors）

Coors Brewing Company 总经理

《人生下半场》是一本引人入胜的书，从辉煌成功的企业转成辉煌、有意义、服务人群的事业。它不仅包含了鲍伯·班福德本身的人生哲学，也引用了许多优秀哲学家在心路历程中

所得的宝贵领受，适合上半场族、下半场族，及凡喜好励志之英雄事迹的人阅读。

法兰西丝·黑赛滨（Frances Hesselbein）

杜拉克基金会（The Druker Foundation）总裁兼总经理

鲍伯·班福德所著的《人生下半场》，不仅包含着强有力的信息，也激发人产生行动，非常的真诚、实际、感人肺腑且令人信服……谢谢鲍伯与人分享他的人生经历，以及建立更美将来的人生哲学。

迈克·卡米（Michael J. Kami）

策略管理顾问

这是一本激发人生希望的好书。不论你正享有蒸蒸日上的事业，或蛮有才华却被迫提早停顿事业，本书都能带给你新的希望及鼓励。鲍伯·班福德利用圣经原则和本身引人入胜的经历，向读者建议如何才能过有意义的人生。

开文·尖金斯（Kevin Jenkins）

Canadian Airlines International 总裁兼总经理

世上最高尚、最美丽的东西，往往无法用眼睛看见或手指触摸，只能用心灵去意会和感受。在《人生下半场》里，鲍伯·班福德就把它出神入化、深入浅出地表达出来了。

布鲁斯·布鲁克敝（Bruce Brookshire）

Brookshire Grocery Company 董事长

序

　　这本书非同凡响；甚至可以说是卓越不凡。就我所知，没有任何一本书能与它相提并论。

　　这是一本怡心养性、易读的自传。作者是位非常特殊的人物，出身寒微，父亲英年早逝，小小 11 岁的年纪就要协助承担全家沉重的生活担子，备尝艰辛。但他有毅力、百折不挠，终于将苦难化为成功。

　　故事本身就已趣味横生了，更不寻常的是，在我认识的人中，鲍伯·班福德是在少年时就已清楚知道自己的专长是什么的少数人之一。一般而言，只有少数的艺术家才有这种能耐和造诣。更了不起的是，一旦他明白上帝赐给他的天赋才干与他自己**想**要做的事是不同的两回事之后，他有足够的智慧，诚实面对自己，有勇气说：**我的职责及使命是发挥上帝赐给我的专长，而不是做我自己喜欢的事**。这就是鲍伯成为成功企业家的秘诀。

　　鲍伯未曾一刻忘记年轻时所见的异象，也从未为了成功而牺牲自己原有的价值体系，这在我的经历中是前所未闻的。他从不认为少年时的志向只是孩童幼稚的梦想。他埋头苦干，但从未忘记他终极的目标。经过 30 年坚忍不拔的辛劳，一旦到

了可以把一些时间、金钱分出来的时候，就毫不迟疑，立刻思量如何运用他的专长及经年累月所积下的知识与经验，实现30年前的志向。

很多人在他这个年龄就开始考虑退休的问题，可是鲍伯知道自己很喜欢工作，且是他所在行业中的佼佼者，应该继续从事这一行。但他决定这是该开始另一个事业的时刻了：要用他的专长、知识、经验及金钱来实现他对上帝始终不渝的承诺。

光是如此就已够不寻常了，但这本书不仅仅是一本自传而已。它不带教训口吻，不以专家自居，不用统计数字，不加上专用术语，只是用平易近人的方式来探讨开明、富庶社会里的一些基本社会问题。

我出生于第一次世界大战前几年，那时代的人很少活过40岁。1929年美国人的平均寿命还不到50岁；在那之前50年，平均寿命只有35岁。可是今天，在美国及其他已开发的国家，大部分的人都能活到70岁，是他们曾祖父辈的两倍！

另外一件同样重要的事是，现代许多人可以享有"成功"的事业，这是过去未曾听闻，也是史无前例的。我所说的成功，并不是指家财万贯或拥有盛名，而是指现代人可以享受前人未有之福——"功成名就"，可以做大学教授、医生、律师、公司里的中级主管、专业人才或医院院长等等。20世纪初叶，这些职位也许根本不存在，即或有，也只是极少数人的特权，一般人根本别梦想。

那时候，工作是为了生存，不是享受。无论是钢铁厂的工人、田野的农夫、工厂装配线上的工人、或小杂货店的伙计，只要日后生活能撑得过去，工作30年之后，就会迫不及待地想退休了，一点儿也不会留恋工作，因为那只不过是维持温饱的工具而已。

今天，越来越多的人发现到鲍伯所发现的事实——他们喜欢自己的工作；年纪越大，工作就做得越好。虽然今后不愁吃、不愁穿，但毫无退休的打算。有一群人我称之为"知识工作者"，不仅领有前人不可想像的高薪，而且有十足的成就感。但步入中年后，就发现自己所擅长并喜爱的工作失去了挑战性，他们需要新的挑战。

二三十年前，我开始觉察到这个现象时，以为很多人会开始他们事业的"第二春"，例如从大公司部门主管转到非营利机构做同样性质的工作，但鲍伯的例子让我知道这想法错了。这群人大部分不愿离开现有擅长的工作，但觉得另外需要一个鲍伯所谓的"下半场的事业"，我则称之为"同时并行的事业"。他们想找一个地方，施展所得的专长、知识及经验，把他们的价值观实现出来。

如前所述，这是前所未有的崭新挑战。就我所知，本书是第一本以巧妙的笔法探讨这项挑战的书，可说是优秀的先锋、优良的社会剖析，也是最优异的自助书。在前面我已提过，20世纪有两个伟大的社会发展：①平均寿命的延长（特别是工作寿命的延长）；②每个人都有"成功"及创造人生的机会。凡是这两个社会发展的受惠者，不论他的价值观是什么，愿献身于何种事业（不一定要与班福德的相同），这本书都有极高的启发、鼓舞作用。

这也是一本重要的政治书。我们逐渐发现现代的政府无法解决的社会问题，自由市场也不能解决。越来越多的人觉得需

要一个新的"环节"。有人称之为"非营利环节",有人称为"第三环节"或"独立环节",我则喜欢称之为"社会环节"。在这环节中,人民不只是例行公事地几年投一次选票或每年按时交税而已,还可以"义工"的方式促进社会福利。这本书向社会文明程度较高的国家提供一个解决重要政治问题的方法——那就是,中年的成就可以协助国家恢复原本有效的政治功能,再次肯定民主及社会的基本价值观。

这也是一本宗教书,专门探讨美国社会的核心问题,强调在美国社会及人民的生活中,宗教及基督教该扮演何种角色。大家都知道,近三四十年来,美国大部分的主流教派人数一直下降,但令人惊讶的不是教会人数减少,而是减少的并不多。五六十年前,在美国成为教会的会员,不是个人能自由决定的,而是被社会压力迫使的。

1930 年,我首度被英国报社派为驻美记者。那时,上教堂是每个美国国民的义务。我们搬进纽约市郊一个富有但不敬虔的社区,几星期后开始申请贷款,银行要两份保证书,其中一份必须由所属教会的牧师所写,如果没有这份保证书,就得不到贷款。25 年之后的 1950 年,在美国的小城镇,如果不上教堂,仍然无法得到银行贷款或找到正当职业。

现在已没有这种社会压力了。本来人们以为教会人数会大幅下降,但出人意料之外,从任何角度来衡量,教会人数减少得都不多;如果与欧洲国家相比,那减少的就更有限了。主要原因是兴起了一些新的、大型的"独立教会",这些教会人数的增长是主流教派人数降低的二倍。换句话说,只要教会懂得照顾那些不是因社会压力而被迫来教会,而是自愿来的人,美国仍然可以称为基督教国家。

鲍伯有令人钦佩的先见之明，很早就看到了这一点。他领导的"领袖关系网"像催化剂一样，专门帮助大型独立教会有效地运作，找出主要问题所在，使教会能不断扩展（这是早期独立教会从未有过的现象），把全副精力投注在传福音、作见证及提供社区服务上。现在，他不是以牧师身份，而是以企业家的活力推展这项事工，帮助大、中型的独立教会把潜在能力发挥出来。

最后，这本书应视为把知识转化为智慧的书，适于理性教育，也适合心灵教育。这样的书犹如凤毛麟角，比那些虚张声势的冒险小说或大胆煽情的言情小说更令人振奋、更有意义及价值。青少年需要看英雄式的探险小说或浪漫的爱情小说，在事业上有成就的中年人，则需要看这一类令人振奋的精神粮食。

总而言之，这本书是老少咸宜，不同的人有不同的感受，凡是展卷阅读此书的人，必定受益无穷。

彼得·德鲁克（Peter Drucker）

1994 年 9 月 1 日

（编者按：彼得·德鲁克为著名管理大师，曾创立杜拉克非营利管理基金会，并有著作 29 本，被译为二十多种语言。中文译著如：《管理未来》（时报）、《管理的实践》（中天）、《成效管理》（天下远见）、《21 世纪的管理挑战》（天下远见）、《知识管理》（天下远见）、《有效的管理者》（中华企管）等。）

引言

打开心灵密室

他用比喻对他们讲许多道理，说："有一个撒种的出去撒种。撒的时候，有落在路旁的，飞鸟来吃尽了；有落在土浅石头地上的，土既不深，发苗最快，日头出来一晒，因为没有根，就枯干了；有落到荆棘里的，荆棘长起来，把他挤住了；又有落在好土里的，就结实，有100倍的，有60倍的，有30倍的。有耳可听的，就应当听。"

没有人知道自己将在什么时候离开世界。但只要我们愿意，每个人都可选择自己的墓志铭。我已经选好我的了。不可否认的，正值青春年华、生龙活虎之际，来谈墓碑的事，是有些令人毛骨悚然。但在我脑海及心中所浮现出的清晰印象，却是荣耀的灵感，也是豪壮的挑战：

一百倍

这是我从《马太福音》十三章撒种的比喻所获得的灵感。我身为企业家，希望后人记得，我是种在好土里，结一百倍果

实的种子。这是我人生的目的、憧憬及衷心的承诺。我预先看见自己将要留给后世的遗产，不论活着或死去，皆是高产量的象征。

圣奥古斯丁（Saint Augustine）说，当你问自己能给世人留下什么，或**希望世人如何纪念你**时，你才真正开始步入成年；这是我写自己墓志铭的原因。墓志铭不是软弱的、幻想的、自己随意选取的座右铭。如果是照实记载，墓志铭该描写那人的人格及灵魂的本质。

我相信挑战我们内心至圣之处的，是造物主所赐给我们的恩赐。它使我们深信人类异于动物或机器，承认我们有灵性、有目的、有使命，提醒我们是按着上帝的形象和样式，奇妙而美好的受造物。

你可能说我在墓碑上写"一百倍"，是一厢情愿地在做春秋大梦，有一部分或许是吧！但当你选择墓志铭来表达对上帝赐给你才干的感激——也是至死承诺要达成的目标时，表明你有人生的目的，上帝已把一个人生憧憬深植在你心中。

撒种的比喻渗入我的梦想，成为我人生经历的核心，也是这本书的推动力。我憧憬把上帝赐给我的才干增加成一百倍，在那增加的过程中，也使用我的才干回馈社会。我盼望你能做同样的事，而不希望你是落在路旁，或流散在土浅石头地，或被杂草卡住的种子。这些种子有结果实的潜力，却不幸被环境遏制了。

我的境遇给了我一个适合生长、湿润而肥沃的好土壤，是很幸运的环境，也是我一生成功非常重要的因素。我不是白手起家，也没有从一贫如洗到家财万贯的传奇故事，只是上帝赐给了我比一般美国人多些成长、能发展自我及拥有财富的机会罢了。

你可能认为我是个幸运儿，因为上帝真的赐给我不少才干。但若你像我一样相信"多给谁，就向谁多取；多托谁，就向谁多要"，你就会开始明白我的墓志铭是何等大胆了。

你的墓志铭是什么？上帝赐给了你什么才干？在今后的年日里，你要如何使用你的才干？

最近我从美国足球赛的角度来看我自己的人生（其实用任何一种分为上下二场的球赛均可）。35 岁以前我在上半场，然后一些事情把我推入了中场休息时间。现在我正处于下半场，一切的发展让我正享受一场精彩的球赛。一路下来，我得到一个结论：人生的下半场应该是我们一生的黄金时代，事实上，可以成为个人的"文艺复兴时期"。

如果你跟我一样，在上半场可能没时间去思考一生要怎么过。匆匆忙忙地念完大学，坠入情网，结婚，开始工作，尽力往上爬，积聚财富，过个舒适的人生。

在上半场你疲于奔命，可能站在胜方。但迟早有一天你会开始扪心自问："人生不过如此吗？"不知何故，得分不再带给你像过去那样的兴奋。

你可能经过了一些人生风暴。世上多半的人在进入中场休息之前，或多或少都经历了些苦难：病痛、离婚、失意、酗酒、没时间与孩子相处、内疚、孤单落寞……就像许多好球员一样，上半场开始时立下许多很好的心愿，但一路打下来，视线开始模糊，失去了方位。

如果你是幸运儿，没经过什么大风浪，但你也该够聪明，

知道下半场不能再像上半场那样打拼了，至少你的体力已不如从前。大学毕业、初出茅庐时，一天能工作 14 小时，周末也兴冲冲地加班。这是球赛上半场预料中之事，如果想要成功，这几乎是不可或缺的策略。可是现在你渴望得到一种超越成功的东西。

球赛呈现出一个事实：时间一分一秒地消逝。以前觉得前途无量，但现在觉得终场已近在眼前。虽然你不害怕终场的来临，但总想打一场漂亮的球，给观众留下不可磨灭的印象。如果上半场是追逐成功，下半场则是达成有意义的旅程。

球赛的胜负取决于下半场，而不是上半场。如果上半场出差错，下半场还有时间补救，但若下半场出差错，就很难再扳回局面了。在下半场，至少你该知道整个局势，因你已熟悉场地——你所居住的世界。多次的胜利让你知道球赛大部分的时间是很艰难的，但若一切情况配合得好，得胜是轻而易举的。多次的伤痛及失望使你晓得，失败并不好玩，却不至于要人命，有时反而帮助你把最好的潜力发挥出来。

有些人一生从未进入下半场，有很多人甚至不知道有下半场的存在。社会上一般人认为，进入不惑之年后，人生就开始老化、走下坡；"年长"与"成长"是不能并存的，甚至是互相抵触的名词。我拒绝接受这个想法，也希望帮助你超脱它。

我不知道你处在人生球赛的哪一阶段。如果是二十多岁的小伙子，可能刚刚开球，令人兴奋的人生正在前面等待着你。我所写的大部分对你可能是朦胧缥缈，但请你不要把这本书丢到你将来找不到的地方，因为上半场会比你所想像的结束得早。

　　大部分的读者可能接近上半场快结束时，35 岁或 40 出头，有一些事告诉你不能再像上半场那样打拼下去。这本书很可能是你心理的写照，使你心有戚戚焉。

　　有些读者可能已进入下半场，但从未用这样的角度来看人生，仍然像一个尽职的前锋，继续向前冲刺。这本书可能促使你叫暂停，出到场外检讨得失，因为任何时候都可改变策略，不会太迟。

　　不论你处于人生哪个阶段，在下面这几章里，希望你摒弃"下半场绝对没有上半场好"的想法。不要气馁，不要顺其自然、得过且过，应该准备好接受新的领域和挑战。你正要从成功走入有意义，写下你自己的墓志铭。请大胆地相信：你最后留给世人的，将比你上半辈子的所有成就都更重要、更有价值！

第一部

上半场

一个人真正的考验，并非在于他扮演自己想要的角色时，而在于他扮演上苍要他扮演的角色。

华克拉夫·哈沃（Vaclav Havel）

第一章　聆听上帝轻柔呼声

我并没有常常花时间思想自己的人生。老实说，直到 40 出头、面对成功恐慌时，我才开始好好地思考。那时我是一个极为成功的有线电视公司的总裁和总经理，有美满幸福的婚姻，有个完美无缺的儿子。

但有某个东西在啃噬我的心灵。拥有成功的事业及巨大的财富，为何会有挫败感呢？

我明白商业策略及其运作、家庭关系和友情的重要，但我还没有决定该如何安排生活，才能使得这几方面没有冲突。还有就是我的信仰：人生最重要的一环。我知道我相信什么，但不知信仰与生活有何关系。于是我开始思考下半辈子该有怎样的成就。一个尚未成形但强烈的念头紧扣心弦：我的一生不该只是为了赚钱，应该对社会有所贡献才是。我开始琢磨人生不同阶段的意义，且聆听出其不意出现的微小轻柔声。

我开始问下列的问题：

- 我聆听上帝微小轻柔的声音吗？
- 工作仍是我人生及人身价值的中心吗？
- 我有没有一个永恒的价值体系来透视人生？

人生下半场

· 我人生最高的目的是什么？该献身何种事业？我的人生使命是什么？

· "拥有一切"的真正意义是什么？

· 我希望后人如何纪念我？

· 如果我能拥有完美人生，那该是什么样式？

耶稣基督在圣经里教导说，他来到世界为的是叫他的门徒得到丰盛、充实的生命。这是多么令人向往的境界啊！许多人认为宗教带来束缚、限制与禁止，主耶稣来到世上是为了拉长脸来责备人说："不可这样，不可那样。"我认为他们错过了丰盛生命这一点。我所认识且爱慕的主耶稣，引导我走一条辽阔而非渺小或狭窄的人生路。他邀请我喜乐地接纳一个充满意义的人生。

但在上半场我没有听见他的邀请，因为太忙，没时间聆听。

我的问题不在于信不信耶稣，因为在孩提时期上帝就赐给我信心。用棒球赛来做个比方，上半场大部分的时间，我都被困在第二垒。请与我一同思考下面的图形：

我们凭孩童般单纯的信心踏上第一垒。对我来说，就是单纯地接受主耶稣在圣经里所说关于他自己的话。这一步就是齐克果（Kierkegaard）所谓的"信心的跳跃"。信心并未否定理性，但与理性不同，是从上帝来的礼物，运作在不同的领域里。若没有信心，在心理与心灵方面，我们就成了旁观者。有了信心，就可进入这两个层面，同时使用理性和感性走向个人成长的旅途，到达第二垒。

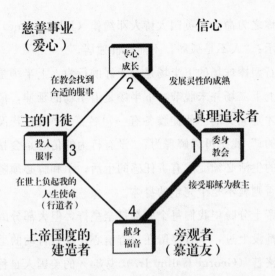

慈善事业
（爱心）　　　　　　信心

在教会找到
合适的服事

专心
成长
2

发展灵性的成熟

主的门徒　　　　　　真理追求者

投入
服事　3

委身
教会　1

在世上负起我的
人生使命
（行道者）

接受耶稣为救主

4

献身
福音

上帝国度的
建造者

旁观者
（慕道友）

对我来说，踏上二垒的这段路程完全与信心有关；先是用心灵，然后用头脑。但在三垒上就牵涉到一个转换：从圣经所说的"听道者"转变成"行道者"。信心不仅是内心所拥有的信仰，也是外表所呈现出的爱心行为。

用行为表达出来的信心，就是使徒保罗在《哥林多前书》十三章伟大的"爱篇"中所讲的"最大的事"。他说："如今长存的有信、有望、有爱；这三样，其中最大的是爱。"希腊文阿加贝（agape）的爱与慈善的心是同一字；慈善就是爱的"表现"。走向二垒途中所获得的信心和盼望，是为了用来装备我们走下半场的路途，最终才能回到本垒。

在三垒上，我们成为主耶稣的门徒，在教会或基督教机构以具体的行动表现出信心，之后再走最后一程，回到本垒，做个哥登·麦克唐纳（Gordon MacDonald）所谓的"上帝国度的建造者"，意即找到上帝特别为我们每个人预备的人生使命；

希腊人称之为命运，英国大诗人邓约翰（John Donne）则在诗文中表示："人不是孤岛，不能离群独居。"

钻石型棒球场的下半场是关于好的行为，上半场是关于信心，但上下二场并未脱节，下半场是上半场的延伸，信心扩大成行为才是完美的。使徒雅各有一句名言："信心若没有行为就是死的。"我想可以解释为："没有行为的信心是会枯萎的。"有信心的生活必须变成有责任感的生活；手和脚必须随着心和头走，否则就不是个完整的身体。

上帝十分盼望我们每个人都打全垒打，但大部分的基督徒连二垒都没上过，一直停留在只有信心、没有行动的地步。乔治·盖洛普（George Gallup Jr.）说84％的美国人自称为基督徒，应该有足够的能力把圣经的价值观渗入社会文化的每一层面。我不怀疑他的调查结果，但在美国我看不出基督徒的信仰对社会有任何影响。我相信这是因为大部分的基督徒仍困在一垒与二垒之间的缘故吧！

在人生的上半场，可以说没有时间跑过二垒。我们是狩猎者、收集者，竭尽全力供养家人，发展事业，把信仰与价值观灌输给儿女。大多数的男子及与日俱增的女子在上半场都扮演着"战士"的角色，急于向别人和自己证明自己可做一番轰轰烈烈的事业，而达到这目标的最佳方法，就是心无旁骛、集中火力地打拼。

我认为上半场是发展信心、学习圣经独特做人处世原则的时期。下半场时，生活压力稍微减轻一些，故而大部分在三垒的人，有一点时间来思想如何把他们的信心用行为表达出来，这就是我的经历。

奥德赛史诗（The Odyssey）描写奥德西斯（Odysseus）的一生。工作与家庭像两个巨大的力量，把他朝两个相反的方向拉去——他渴望回家与家人团聚，但又舍不得战斗的生涯。你与他有同感吗？在上半场，我们也是被两个巨大的力量拉扯着，渴望花时间与家人相处，但也渴望全力投身在发展事业上，难怪我们听不见那呼唤我们做更美之事的微小轻柔声。

人生上半场着重的是得到、获取、学习及赚取。大部分的人采用最普遍的方法达成此一目的：求学、工作、成家、购屋、赚足够的钱买人生必需品及奢侈品、拟定目标，然后朝目标前进。有些人甚至用令人侧目、激进的方法达到目标：恐吓人，或利用权势买股份或吞并其他公司，可以说不择手段地达成目的。无论如何，很少人在上半场时有时间倾听上帝的声音。如果对属灵方面有点兴趣，通常都是采取典型的上半场方式：担任教会建堂小组的委员、教主日学，或负责筹划一年一度的弟兄退修会。

下半场有比较多的风险，因为不仅仅是为目前而活，还要把上帝种植在我们心中有创造性、有能力的种子发出芽来，加以浇灌、培植，好叫我们结出丰盛的果子，把才干和属灵恩赐投入服事，享受耕种所获得的喜乐。这是赚取庞大利润的企业家所要面对的风险。

真正的企业家不是有勇无谋的，也不需要特殊勇气，只要尽力收集会影响他作决定的、有关市场及周围时势的资料，加以检验思考，然后尽快地做个果敢的决定。同样的，如果想拥有比上半场更好的下半场，必须从随性而安适的生活方式走出来，搞清楚你是谁，为什么相信你所宣称的人生信仰，以及如

何维系有意义而正确的日常生活及人际关系。

这个决定隐藏着风险：放下温暖而安舒的保护屏障，走出你紧紧控制着的安全区，可能需要把一些熟悉的指标和参照点搁置一旁；至少在刚开始的时候，你会觉得失去了对生命的驾驭。

但我要对你说：恭喜，你走对路了！

放弃对自己人生的掌握是于你有益的，在这过程中，你会对自己的感受更加敏锐，而这些感受能使你对人生的探险及报酬有所领悟。

像现今这样动荡的时代，无论你多么努力地想驾驭或计划未来，大部分的情况仍令你无法掌握控制。无论你正在经历人生的哪一阶段，这都是真的，正如我过去十年一样，这话相当能引起正迈入中年者高度的共鸣。

对我来说，跨入下半辈子这关口之前，我该对时间及财物做个重新规划，对价值体系及人生观重新评估。这不仅是个复兴，更是崭新的开始；不仅是对实际情况的查核，也是对内心密室新鲜而闲适的省察，至终它令我得以有机会回应内心深处梦寐以求之事。

结果，这段时间成了栽种、斩草除根、哭泣、欢笑、哀恸、雀跃、寻求、放弃、保存以及丢弃的时光，是我人生最重要的时期。

至少到目前为止是这样。

著名的作家及导演诺曼·柯温（Norman Corwin）80 高龄时，在《青春永驻的心灵》（The Ageless Spirit）一书中回忆迈入不惑之年时的心境：

我一生中最难过的生日是 40 岁的生日，那是个重大的里程碑，代表向青春挥别了、永别了。但一旦过了那年龄，就有个突破，好像超越了音速的障碍一样。

40 岁是一个发现新大陆的时期，如萧伯纳（George Bernard Shaw）所曾经历的，是个品尝人生"真快乐"的时刻。他如此描写着：

这是人生的真快乐——你领悟到自己的人生有目的、有价值，是一股自然的力量，不是个无病呻吟、自私的小躯壳，成天抱怨世界没有尽力使你快乐。我认识到我是整个社区的一分子，只要一息尚存，我就有权替民众服务、替社会谋福利。当我离世时，希望已用尽我的一生；因为愈努力工作，生命就更有意义。我为生命本身而享受生命。对我而言，生命不是一枝短蜡烛，而是我手中握着的光辉火炬。在我将它捧给下一代之前，我要让它尽量地燃烧得辉煌绚烂。

在本书的《引言》中，我邀请你写下自己的墓志铭，帮助你开始思想人生的下半场。下面这个问题也能帮助你达成同样的目的：

如果你能拥有完美无缺的人生，你认为它该是什么样子？

这是一个值得深思熟虑的问题，因为浮现在你脑海中的图

画，会帮助你找到满足和幸福。但惟有你倾听上帝在你心中那轻柔微小的声音时，它才是一幅正确的图画。

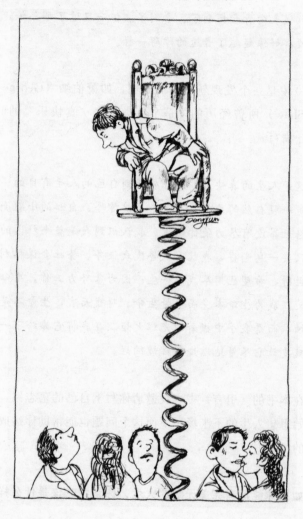

第二章　倒转的决定

　　有些基督徒清楚记得自己重新得救的日子，甚至可以说出何年、何月、何日、何时、何分、何秒。在那一刹那，一件奇妙的事情发生了，他们改变了、重生了、罪被赦免了、得救了。

　　我的经历却不是这样。我不是以遗憾或自豪的口吻说这话。上帝在我童年时就赐给我信心，而我从未有一天失去它。当然，我也对人生起过怀疑，对一些神学或教义有过困惑，但从来没有怀疑过上帝，这坚定不移的信心是上帝赐给我的礼物。不是我找到上帝，而是上帝找到了我。在心灵的道路上，我不记得有很戏剧化或情绪活动的转折点——只是在 14 岁时，我做了一个令人惊讶的、倒转似的决定：放弃从小就想做传道人的念头，但绝未放弃我个人对上帝的信心和承诺。

　　我父亲是个嗜酒如命的猎人，曾经夺得奥克拉荷马州射击冠军，但他在我小学五年级时突然去世。我对父亲没什么印象，只记得他抱着威士忌酒瓶灌醉自己的样子。后来才知道他是模仿海明威（Ernest Hemingway）著名小说里的男子，那些世界大战后自认为豪放不羁、刀枪不入的粗犷美国人。

　　但父亲不是刀枪不入的。

他留下了年轻的寡妇和三个幼小的儿子，我们必须自食其力以求生存。母亲继续在奥克拉荷马经营广播电台一段时间，后来我们举家搬往德州东部的泰勒镇，并在那里买下了一个广播电台。

父亲突然去世，使得生活担子完全落在母亲一人的肩上，环境迫使她成为有理想而成功的大众传播业者。她向泰勒镇公所申请当地第一家电视台的执照。同时申请那执照的还有当地的报业大亨，以及镇上最显赫的慈善家，就是家喻户晓的石油大亨。

母亲身为孤单寡妇，在完全陌生的环境里面临如铜墙铁壁般的阻力。当地石油大王却是赞助每个社区慈善事业及社区发展的领导者。泰勒镇隔邻的达拉斯镇已经把三家电视台的执照批准给当地的报馆负责人。

除此之外，母亲还需先去德州史密斯郡的法院，把"无能力"这几个字从她的身份证上除掉。因为 1950 年早期，德州法律规定，若没有丈夫的签字，妇女无权签订合约，除非有法院证明她是"单身妇女"。

虽然有这种种的困难，加上当时文化的阻碍，但凭着不屈不挠的精神，母亲终于在 1954 年 10 月得到 KLTV 电视台的执照（L 是我母亲名字露西的缩写）。她坚定不移的决心及"天下无难事，只怕有心人"的态度，深植于我幼小的心灵中，我看到"凡事都能"的精神和信念，所以我在小小的年纪就相信，只要凭着努力不懈及不屈不挠的精神，没有什么事是做不成的。

后来母亲再婚二次，但都不欢而散，于是她把全副精力投入事业及孩子身上。每晚她哄我入睡前，不是念童话故事给我听，而是教我如何结算账目、折旧的计算以及广告的策略。在申请电视台执照时，她就告诉联邦传播委员会，申请电视台的目的是希望将来她的孩子能继承这份事业。

母亲心无旁骛及全然投入的态度，在我心中酝酿起很大的兴奋，但也产生了压力，在两种选择之间有极大的拉锯战：做个成功的企业家呢？还是做个传道人？接下来的数十年，我无法完全化解这挣扎，但在 14 岁时，我就做了一个清楚的决定。

那一幕仍然在目，就像有些人清楚记得自己重生时的每一细节，或有些人记得自己听到肯尼迪总统遇刺时身处何地一样。

我在霍格初中念九年级，米蒂·马席老师正在上英文课。米蒂·马席是我幼年时泰勒镇的传奇人物，她和两个姊妹米妮和莎拉都是镇上公立中学的教师，住在镇上主要街道旁的一座大农场豪宅中。每星期五及六晚上，高中生就开着汽车在那条街上风掣电驰般地穿梭着。米蒂·马席和她的姊妹是泰勒镇学术成就的督导者，常常提醒学生说："如果现在不好好用功，将来就进不了理想的大学。"

我坐在教室第二排靠左边的位置。直到今天我还无法确定究竟是什么因素促使我做那样的决定，但就在那个位子上，我心里清楚知道传道、施洗、替人举行婚礼及葬礼，已不在我的事业考虑范围之内，赚钱的电视经理才是我的目标。我做了一个冷静而激进的决定：我要以驾驶涡轮式跑车的速度和效率，来经营这一生。

一般来说，"冷静"和"激进"很少会出现在文章的同一

页，更少出现在同一个句子里。那时，电视业仍处在雏形时期，谁也无法预料它会成为阅读、聊天、听收音机这些习以为常的娱乐活动的重大威胁者。虽然我并未预知这一切，但对一个刚迈入人生含苞待放期的初中生而言，商业界——特别是新颖而令人兴奋的电视技术，实在是令人心醉、充满刺激且有丰厚利润的竞赛。

老实说，我想在棒球赛第九局下半场击出全垒打，作决定性、英雄式的一击，那才是改变我一生关键性的决定。

到今天，我仍然非常喜爱电视业龙争虎斗般的竞争、策略的决定及得胜的滋味。我认识一位后来自杀的高级经理，他把商业界喻为"世界上最伟大的竞赛"，我完全了解他的意思，因为我也曾尝过衡量竞争力、得分、得胜，只可意会不可言传、踌躇满志的滋味。我觉得做个可以决定胜负的球员，是令人意气昂扬的事，也相信事业机构是比在教室背死书更佳的学习场所，也能向理性做最高的挑战。经验最能强化从学校得来的知识，在电视界的经历帮助我明白如何在成功的竞赛中做赢家。

但现在，我发现其他行业也有许多竞赛。除了用大股份、日增月盛的利润来操纵市场、占优势之外，还有其他得胜的方法。

透过仔细留意人生不同的阶段，我慢慢有了一个宝贵的发现；或许你已发现了，或许将来有一天也会发现。大约20年前，当我集中心力于事业，无心他顾时，一个念头开始悄悄地在我心中扎根，然后渗入我做决定的那个角落。

初中时所做的那令人目瞪口呆的倒转决定，让我在青年的迷雾中试图实现那冷静的梦想。但后来一个新的念头，却促使我对少年时的决定开始持续不断且深思熟虑的反省。

　　我开始想，如何把自己的信仰应用在生活上。

第三章　探索及自助时期

凡事都有定期……寻找有时，舍弃有时。

供需经济学上有一条珍贵的理论：高涨的潮水会把海上所有的船只都飘浮起来。并非每个人都同意这水涨船高的说法，但在我所投入的电视界，在 20 世纪 60 与 70 年代，全美兴起了电视界的高潮，不论在广告或文化上都有广大的需求。电视业成为娱乐界及信息界的超级巨人，改变人的行为及人际关系。

我的船随潮水上升了。

已退休的电视新闻主播华特·克隆盖（Walter Cronkite），是当时耳熟能详的人物，也是家喻户晓的面孔，"华特叔叔"名列全美最值得信任榜的前几名，这一切都归功于电视，因为它操纵着塑造权威和名人的生死大权，过去是这样，现在仍是这样。

你可以想像，那是商业电视界的黄金时代，有极高的利润。那 30 年间，我们从泰勒镇的一家电视台扩展到美国许多州一系列的有线电视系统，建立了班福德电视公司，每年的成长率是 25％。

许多年前，我从管理学专家彼得·德鲁克（Peter Drucker）学到一个重要的管理原则：如果要继续维持公司的成长，公司的领导者必须是疯子，或是奸诈狡猾者，否则就必须不墨守成规、故步自封，勇于接纳有助于公司成长的机会和挑战，且做适当的改变。1954 到 1986 的 30 年间，电视业真可说是一帆风顺、如日中天，几乎没有任何一个行业像我们一样，未遭到任何拦阻或风暴。

但班福德电视公司稳定而令人刮目相看的成长，不全是靠外在因素，内在明智的改变也占了重要的一环。例如，在 20 世纪 80 年代中期，大部分美国人透过有线电视可收看到 35 至 55 台的电视节目。班福德电视公司就放弃了无线电视台，专门经营有线电视。

一如人生，商业也有季节性，外在环境会改变。像人一样，公司若要有健全的成长，必须周期性地改变它的焦点。

我仍然记得 ABC 电视台"周一晚间足球赛实况转播"早期辉煌的时候，达拉斯牛仔队的四分卫"丹弟"唐·美利第（Don Meredith）常在球赛终场前几分钟，就用手势向观众挥手，然后以特有的德州腔大声叫着说："关灯，球赛已结束！"虽然我佩服古老格言所谓"幸运胜过聪明"的智慧，但我也相信最好是让灯光继续亮着到球赛完毕，并且已知道是该走下一步的时候为止。

我 31 岁时，母亲在达拉斯城中心一家旅馆的一场大火中丧生，一夕之间，我成为公司总裁、主席及一家之主。母亲教了我许多关于事业及人生的事。像大部分有成就的人一样，她有许多优点，也有许多缺点。

　　母亲具有冒险犯难的精神和主动积极的性格，立志闯出成功的事业，且教导我成为自尊、自重、自信的人。当我还在高中时，无论去哪里，她总向人介绍我是全世界最得力的左侧边锋。事实上，我在高二时只是个左侧边锋的后补球员，真正的左侧边锋是全德州的明星球员；高三时我才正式成为左侧边锋，但也仅是个稍稍称职的球员而已。然而我喜欢听母亲称赞我的话，它带给我信心与鼓励。

　　母亲也是太过天真的人，没有节制，这是造成她后来二次婚姻失败的主要原因。我发誓要避免这两个缺点。

　　虽然大学毕业后我就立即加入家族事业，但母亲的去世迫使我开始人生新页——新的责任、新的选择、新的梦想。那时刚好也是美国社会遭遇巨变的时期：婴儿潮的头一批进入大学或社会工作，越战正要死不活地拖着，尼克松总统正准备竞选连任，水门案件正等待着展开序幕。

　　这些社会变迁多多少少对我都有点影响，但我把主要的目标集中在发展事业和个人的成长上。那时我沉醉在自助及自我改进的书籍和录音带中，纵览了彼得·德鲁克所著的每一本书，修了美国管理协会举办的总裁课程，也修了哈佛大学商学院举办的企业主及管理者课程，是9个星期的密集式企业管理学硕士课程。

　　不需靠当时流行的"扩展心灵"药物，我就预见了自己的梦想。我知道凡是我能想像及相信的，只要集中意志力，一定能做到，那是我的信念及教条。撇弃消极的思想，忘掉白宫卑鄙的手段，不再信任30岁以上的人。我深深地相信，用我的梦想及心灵的渴望，便能塑造自己的人生。

　　偶尔让我驻足思想或担心的，就是我对事业奋不顾身的投入和野心。我有个预感，过度地投入事业可能会给人生的其他方面带来损害。因此，在运筹帷幄及享受成功的兴奋中，从心灵的一个角落发出了这样的疑问：**得到这一切，可能带给你什么样的损失？** 明显地，事业并非人生惟一的重心。

　　接管家庭企业之后不久，我带着一本笔记簿，开始谨慎地自我反省，希望对人生的方向有些调适。

　　我以本书第一章提出的问题来问我自己：

　　如果你能拥有完美无缺的人生，那该是个什么样的人生？它包含哪些要素？

　　那时我 34 岁，生平第一次认真地思考：我一生最渴望完成什么？想成为怎样的人？这些问题的答案就能提供一些线索，让我知道该怎样生活。于是我写了以下 6 项目标：

　　1. 公司每年至少成长 10%。

　　2. 与妻子玲达有鸾凤和鸣的生活，直到死亡才暂时把我们分开。

　　3. 借着服事人来服事上帝。工作之余，在所属教会或其他基督教机构做教导或辅导的工作，使用属灵恩赐和才干，积财宝在天上。

　　4. 帮助我的儿子罗斯建立健康的自我形象，我相信这能让他面对人生所有的境遇。我认为好父亲不是从孩子的成绩单或网球奖杯、奖牌来评判，而是从孩子的自我形象来衡量，其中很重要的，是帮助他建立对上帝的信心，因为他超乎万物，且值得信任。

　　5. 继续不断扩充文化及知识领域，弥补学生时代的不足。

　　6. 仔细思量该如何使用所赚的钱，决定自家需要多少花费。我决定把多余的钱用在我认为是最高的理想上，而那是什么呢？

　　这是我当时认为人生最有意义的 6 项目标，我几乎全神贯注于这些方面，剔除其他不符合这 6 项目标的任何东西。迥异于以往全神贯注于事业发展，我开始有了均衡的生活，后面 5 项目标表示那些东西对我也很重要，它们回答了"如果我赚得这一切，会失去什么？"的问题。我要确定我没有为了金钱而牺牲我认为宝贵的东西——妻子的爱、儿子的自我形象、扩大知识领域的学习机会、表达我内在信仰的服事，因为我已得到过多的金钱、权力和成就。

　　这 6 项目标在当时及现在都不是完备无遗的人生目标，但已足够促使我探索人生重要的承诺及憧憬，帮助我知道活着的目的。

　　我正处于人生的上半场，但已开始看见下半场的来临。

第四章　成功恐慌

它像黑夜里的小偷潜伏进来——狡猾的侵入者无声无息地打扰了寂静的黑夜，四处巡行，想从洋溢着满足、财富、成就和精力的生命中，窃取这些外在、有形的表征。

44岁时，"成功恐慌"闯入了我的生命，给了我当头一棒，让我睁开眼看清自己对交易手段及商场厮杀疯狂而奴隶般的崇拜。要有多少才觉得够？

那时，电视事业已超过预定的最高期望，我已达到且远远超过积聚财富的目标：有大洋房、崭新的跑车，可以舒适豪华地去世界各地旅游，我也达成或甚至超越了人生其他大部分的目标。

成功恐慌完全不在我的计划之内。我记得有一天看登山社的杂志，报道征服珠穆朗玛峰西岭的消息：在花了好几百万美元、丧失了几个同伴的性命之后，两位登山大将终于爬上了珠穆朗玛峰的峰顶。他们站在世界最高峰，俯瞰全世界，克服了无数巨大的困难与障碍，终于达到目的地。但他们当时的心情不是单纯地狂欢或喜乐——短短几分钟之后，其中一位开始担心如何安全地下山，而不被强劲的风吹落山崖。

在上半场时，努力达到高峰比到达高峰的事实更令人兴

奋、更有意思。

"成功恐慌"击中我心时，把我带到一个迟来的十字路口，在走下一步之前，逼我思考一些非常重要的问题：

· 是否该把终线向前挪一些，我才能继续赛跑，计算每一进展所需要的时间？

· 能让自己接受新的机会吗？

· 能有个具建设性的中年目标吗？

· 成功之后，下一步是什么？

对我来说，这些是很难探讨的问题，因为过去由经营事业所培养出的领导统御能力，令我相当依恋。商业界是每天证明自己、肯定自我价值及智慧的地方，是展示才干及见识的舞台，是十分舒适自在的世界，不仅因为我熟悉它，也因为那是个不需有爱心、可以强求别人的世界，并且很容易衡量。

坦白地说，回到教会做传道人或投入其他服务性质工作的想法，真把我吓住！虽然那是从幼年时就紧扣我心弦，而长久以来尚未完全忘怀的感动。

我一直认为传道人的工作是充满爱心、不强求人的，与我所喜欢且快乐地打滚了二十多年的真实世界完全相反。它太温和、太柔弱，简直是另一个世界，太难以衡量了。

除此以外，所有的朋友都劝我继续留在这家成功的公司担任总经理。但炙手可热的成功在春秋鼎盛的中年岁月带给我一身冷汗的当儿，那呼唤以利亚的微小轻柔声音也在不停地呼唤着我。

那温柔但不放松的声音，邀请我考虑一个成年以来我一直推托压抑的问题：

你明白"被上帝呼召"与"好高骛远、野心勃勃"不同的地方吗？

明显地，我已来到要做人生另一个基本决定的关口。像大部分的人生决定一样，这不是个黑白分明的选择——选择放荡不羁还是克己复礼、做领袖还是做跟随者；需要在两个极端之间的灰色地带作抉择。但这个问题让我看见，把我的中心信仰及已历经考验的才干用行动表现在生活中，是何等有价值及荣耀的事。

这是我探讨人生意义过程中另一个有益的插曲，软化我的心田来面对即将来临的自我探索，至终帮助我发现带给自己满足及渴望的来源，因为那个问题促使我思考：得到这一切之后，可能会失去什么？

我担心自己会迷醉在成功里，那是个非常微妙且危险的境地。成功与意义只有一线之隔：意义是能获取最多的成功，却不成为成功的俘虏，让成功做你的仆人而非主人。像极了电影《致命的吸引力》（Fatal Attraction）中紧张的一幕，麦克·道格拉斯（Michael Douglass）坐在葛伦·克罗丝（Glenn Close）对面，心知妻子这个周末不在家，而情欲却在全身激荡着，他正处在一个危险的交界线上——驾驭情欲，还是放纵自己，成为情欲的奴隶？

他选择成为情欲的奴隶，我知道是我该作决定的时刻了。

第五章 找到活水泉源

在我最深切需要的时刻，上帝的恩典带领我认识了一位无神论者。迈克·卡米是策略计划顾问，聪明而咄咄逼人，直觉反应强，能识别一切的矫揉造作、装腔作势，一针见血地直中要害；他是美国管理协会（American Management Association）的高级资源顾问，在 IBM 电脑公司业务最快速增长的期间，担任策略计划主任。后来，施乐（Xerox）公司以七位数字的年终奖金把他挖了过去。他的个性独立，反对偶像崇拜，并具有毫不留情的分析能力。

他不相信上帝，但我能作证，至少在我生命中，上帝借助他在我人生中起了奇妙的作用。

我已习惯于周期性地为公司做策略计划，这些计划是公司同仁用来衡量公司运作效率的准则，以便使我们的梦想成真。这些都很容易拟定，而且在大部分的情况下执行起来是十分有趣的。

现在，我需要为自己拟定一个策略计划，这真是有如天壤之别的差事。我把所有混乱的梦想、渴望、显而易见的优缺点、信仰、已开始及将要开始的计划、该做的事及该剔除的事一一列出来，真像乱七八糟的泥沼，有相辅相成也有互相冲突

的雄心壮志，像极了交响乐团演奏前，各位乐师在调音、试音时发出的不和谐音调。

我该做什么？怎么样才能让自己最有用？该把才干、时间、财富投资在哪儿？哪一些价值观能使我的人生有目的？影响我一生最崇高的理想是什么？我是谁？我在哪儿？往哪里去？如何到达目的地？

在那大风雪般的扑朔迷离之中，迈克·卡米问了我一个简单但有洞察力的问题：

你的盒子里装了什么东西？

我请他解释这问题的意思，他就告诉我他的一个经历。可口可乐公司计划推出一种新产品，高级官员就邀请迈克一起来研究如何命名新产品，他们告诉迈克说可乐畅销的主要原因是"口味极佳"。经过无数次的试验，他们终于找到了一种比原来的可乐更棒的味道，不久之后就推出了"新可乐"，谁知却带给公司前所未有的低销售量。

高级主管请迈克回去再次商量。迈克说："你们一定是把错误的字眼放在盒子里了。让我们再试一次。"几小时之后，他们把另外一个名词放在盒子里："正宗美国口味"。

原来，主管们领悟到可口可乐已成为美国人生活不可或缺的一部分，改变可口可乐就相当于动摇母亲的地位或是拿走苹果派一样。把正确的字眼放在盒子里后，可口可乐的畅销量立即回升，为公司挽回了一次巨大的财政损失。

当我试图把正确的字眼放在我人生的盒子里时，我告诉卡米我愿意尝试新的事业、新的机会。我渐渐明白，并非一定要做传道人或全职基督教工作，才能合乎我的信仰。我也告诉他，我真的要把一部分精力从公司挪出来，用在我还不十分清楚的"服事"上，这对我自己也是个很慎重的提醒。

卡米根据我的这番话，就向我摊牌说，若我不能清楚指明自己人生动力的源头是什么，他就无法帮助我订出实在的人生计划。他说："我已听你讲了两个小时，我要问你，你的盒子里装了什么？对你来说，只有两个选择：一个是金钱，一个是基督耶稣。如果你能告诉我你要选哪一个，我就能告诉你有关那个选择的策略计划。如果你不能决定，你就会在这两个价值观之间游移不定，最终陷入困惑。"

从来没有人如此单刀直入地把这重要的问题摆在我面前。几分钟之后（感觉上好像几小时之久），我说："如果只能选择一个，我就把基督耶稣放在我人生的盒子里。"

那是一个信心的举动，也是惊天动地的挑战，让我敞开心接受改变及冒险。更有过之而无不及的是，**这是个把我的信心变为行动的承诺**。接受基督做我人生的引导，就等于无论走往何方，都让上帝来支配我的人生道路。

那次的会谈是在加州一个美丽的风景区举行的，我太太玲达也参与讨论和计划。我们两人谁也不完全明了那次决定会带来什么后果，所以都相当紧张。

卡米把我们逼到墙角，成功地完成任务。我发现把基督放在生命的盒子里，事实上是个看起来充满矛盾的事。把基督放在盒子里，就会把盒子的四壁完全瓦解，让他的能力和恩典毫无拦阻地进入我们生命的每一层面。一如古老格言所蕴含的自

相矛盾但奇妙的逻辑一样：施就是受，我们的软弱使得我们刚强，死去就带来更丰盛的生命。

我选择耶稣基督做我人生效忠的最高对象，但不是惟一的效忠对象，这两者之间有重要的差别，因为我仍然要对玲达、工作、朋友和计划忠心。主耶稣是这一切的中心，但他不会妨碍其他的事，我的生活是均衡且完整的。

我对各方面的效忠导致我继续留在公司，做董事会幕后指挥的董事长，把五分之一的时间投注在制定公司的目标和价值观、挑战重要高级主管、设定标准及监督运作上。剩下五分之四的时间则投入其他的工作，大部分着重在替别的教会及基督教机构做领袖训练的工作，帮助领袖们更有效地服事他人。

我要坦白的承认，我们仍拥有城市里的公寓、乡间豪宅及豪华轿车。我认为顺从上帝的呼唤，并不一定表示非要与过去的生活方式完全相反。很多人误会，以为如果要有更佳的人生下半场，就一定要完全改变生活方式，结果使得自己裹足不前，不愿冒任何风险。但我相信，上帝创造我们是什么样式，就能帮助我们拥有达成他目的的生活方式。

同样的，如何把信仰化为行动也与个人背景有关，我并非出身于宣教士或修道士的家庭。我深信上帝会使每一个人充分发挥自己的长处，不太可能叫我们做不精通或不胜任的工作。

我晓得，并非每个人都能抽出五分之四的时间来服事上帝。在这方面，我是相当幸运的。但不要以为不能辞去工作，就限制了上帝在你人生下半场能做的奇妙事工。千万不要让你的下半生陷在走下坡、枯燥乏味、对上帝的国度无所贡献的悲境中。

　　请仔细聆听上帝微小轻柔的呼声，做一些诚实的心灵审思。你盒子里装的是什么？金钱？事业？家庭？自由？

　　请记住，盒子里只能装一样东西。不论你现在处于人生哪一阶段或地位，一旦决定了你生命的盒子里装的是什么，透过灵修、阅读和审思，就可以看见一连串该投入的活动，为的是让你发挥"专长"且继续不断地成长。

　　但请注意，成长并不都是容易的。

第六章 "罗斯，再会！"

当我乘着船，在和风煦煦下，一帆风顺地在建设性的中年中航行，把我的"专长"渐渐升上桅杆时，突然，晴天霹雳！一个凶险的大浪把船吹翻了。

没经过什么惊涛骇浪的人生，让我认为人生有些事可以明白，有些事令人怀疑，而有些事则是无法了解的。一位不亚于亚理斯多德的权威人士曾经说：心灵在两个层面运作，一个是理性——接受那些看得见、可以衡量的事物；另一层面是超理性——接受那些与理解力相冲突的事物，那是属于上帝的境界。

但这件新发生的事几乎把我推入另一个境地：灰心丧气的境地。

我的儿子罗斯，我们惟一的孩子，有前程似锦的人生等待着他。他是我惟一的子嗣、继承人。在某一方面来说，你可能觉得很奇怪，但对我却是千真万确的：他是我崇拜的英雄。

从位于弗德渥斯（Fort Worth）的德州基督教大学毕业后，罗斯搬到丹佛市去，找了个投资银行家的工作，主要是为了有些历练，以备将来加入自己的家族企业，最终完全从我手中接棒。第一年，所有的成功交易让他赚得 15 万美元；第二年才刚开始，但从已有的趋势看来，他会有 50 万的进账。20

人生下半场

世纪 80 年代后期，他那一行能赚很多钱，比事业成功更重要的是，罗斯是个优秀的青年，坚强果断，全身洋溢着青春活力，关心体贴别人，有美好的人际关系，有许多朋友，热爱生活情趣及人生的多彩多姿。

1987 年 1 月 3 日傍晚，我弟弟杰夫打电话来告诉我，罗斯与他两个朋友尝试游过美国与墨西哥交界的里欧·葛兰蒂河 (Rio Grande River)

杰夫以严肃的声调说："我们遇到一个很严重的问题，罗斯在里欧·葛兰蒂河失踪了。"

赤子之心吸引三个年轻人来到里欧·葛兰蒂河，他们想要尝尝非法移民从葛兰蒂河偷渡到黄金国的滋味。罗斯时年 24 岁，那是他在这世界最后一次的冒险。

我弟弟说，德州巡逻队正在安排警察寻找罗斯和他的朋友；第三个年轻人已找到，没事，但为着两个朋友的生死未卜急得快要发疯了。我立即飞往里欧·葛兰蒂山谷，第二天清晨到达，立即加入寻找。我雇了飞机、直升机、船、地上追踪人员，凡是钱能买到的，一律加入搜寻队伍。

下午 3 点时，从一位搜寻人员的眼神我知道，今生再也见不到罗斯了。

我记得，在混浊而湍急的里欧·葛兰蒂河河上方 200 英尺的石灰石峭壁上，沿着河畔搜寻时，我的内心生出一生从未有过的惧怕。我告诉自己，**这件事你无法用梦想找到出路，无法用机智想到出路，无法用金钱买到出路，无法用毅力闯出出路。**

在河岸峭壁，使人发狂的孤寂中，一切都太清楚不过了。

我告诉自己，**这件事只能凭信心找到出路。**

不可思议的事在我身旁发生了，除了从永恒的角度来看，我是无法了解这一切的。爱因斯坦（Albert Einstein）曾经说过："不可思议的事是超出科学的范围，是属于上帝的境界。"这件事确是属于上帝的境界。

回想起来，我记得那时向上帝做了个祷告，可以说是我对上帝最有智慧的祈求："亲爱的天父，请赐给我力量，在这悲痛难过的时候，能接受且体会到别人向我显示的恩惠，阿们。"

搜寻罗斯及他朋友的行动仍然进行着，我内心充满了上帝的恩典。四个多月后，一个春天的日子，在里欧·葛兰蒂河下流大约 10 英里的地方找到了罗斯的尸体。在那之前，在他丹佛住处的书桌上，我们发现他用手写的遗嘱，日期是 1986 年 2 月 20 日，几乎是河流吞灭他身体之前一年写的。在那段漫长、恐惧、充满未知数的寒冬，他遗嘱里的话语带给我极大的安慰。

罗斯写道："如果你正在看我的遗嘱，显然我已死了。我不知自己会如何死，很可能是意外事件吧！因为如果是其他方式，我就应该有时间重写遗嘱。但即使我死了，请记得一件事：我拥有一个美满充实的人生。更重要的，请记得我现在是在一个更美好的地方。"

遗嘱中指明他要如何分配地上的财物，然后用祝祷的方式结束："最后，我爱你们每一位，谢谢你们让我有美好的人生。请各位确定自己将来是来天堂而不是下地狱，我会在天堂的大门恭候你们。只要放眼找那位穿着卡其裤、褪色衬衫、球鞋，戴着牛仔帽，脸上挂着墨镜和影星杰克·尼柯逊（Jack

Nicholson）般灿烂笑容的就是了。我也感谢上帝赐我机会，在离世前写这份遗书。谢谢。再会！罗斯敬书。"

失去罗斯是令人震惊且伤心的事，但他的失踪及死亡却使我得到宝贵的启示，经历到从未梦想过且无可比拟的恩典和喜乐。难言的空虚和心碎使我悲戚茫然，却又幸福无比。朋友紧紧、无言地拥抱，充满着关切和同情的慰问信及电话、亲手做的佳肴美食，都是我们万分需要的爱的标志。其中一封信特别能表达罗斯的生命是上帝美好的见证：

敬爱的班福德先生、夫人：

罗斯是我的好朋友。他把一切与我分享：他的观念、想法、快乐、痛苦，以及无数的笑声；但最重要的是他的爱。

现在罗斯有了个新的、最好的朋友，他与这位新的、最好的朋友同在。一如往昔，他仍然继续与我们分享。今天罗斯向他最好的老朋友介绍这位最好的新朋友——耶稣。

我为罗斯感谢天父上帝，也为天父上帝感谢罗斯。

朗尼敬书

虽然这些话带来慰藉，但罗斯离开后那暗淡无光的几个月中，上帝是我惟一的精神支柱，我常常思想圣经的经节："你要专心仰赖耶和华，不可倚靠自己的聪明。"我学习到上帝的恩典够我们用，他的力量在人的软弱上显得完全；也学习到我活在世上，是：

旅客，不是地主

管家，不是主人

战士，不是温室小花

贵格会有一个关于放下和接受的简单祷告。失去罗斯的那晚，我做了那个祷告，直到今日，也常常这样祈求。贵格会常用双手做出宗教的仪式及象征，那个祷告的第一部分是把手心朝上，假想我们从上帝得到一切的需要；第二部分的手心朝下，假想把我们一切的痛苦和忧虑卸给慈爱而全能的上帝。

罗斯葬礼后的两个半星期，我在一个教会分享，就用了这个有动作的祷告。

"上帝啊！您把生命赐给了我，现在我把生命还给您。我的时间、财物、生命……与将来在永恒里与您（和罗斯）的同在相比，这一切都是过眼烟云。"

然后我把手心朝下，结束了祷告："天父，我把这世上一切的忧虑和痛苦都交托给您，知道您爱我到一个地步，为了我把独生爱子赐下。我是个需要救主的罪人，再一次地，我接受您为我所做的一切是足够的。奉主耶稣基督的名，阿门。"

在《罗马书》中，使徒保罗写了一段十分令人安慰的话，两千年来，鼓舞了百万以上有烦恼、心灰意冷及心灵破碎的基督徒："我们晓得万事都互相效力，叫爱上帝的人得益处，就是按他旨意被召的人。"诚然，万事都互相效力，但必须从永恒的角度来看。

我活在两个世界里，一个是充满纷扰和繁忙的世界，匆匆忙忙地做生意，跟着股票市场暴跌暴涨来算积分，是镜花水月的世界，总有一天会消失。另一个世界则是现在罗斯所处的世

界——永恒的世界。第二个世界的真实性使我能有信心地说：
"罗斯，现在暂分别，不久再相见。"

这永恒的观点带给我无穷的慰藉，促使我再度回到萧伯纳
所精彩描述的，对人生的热爱以及每天该尽的责任："我为生
命本身而享受人生。对我来说，生命不是一枝短蜡烛，而是我
手中握着的光辉火炬。在交棒给下一代之前，我要让它尽量地
燃烧得辉煌绚烂。"

我把亲爱的罗斯放在英雄榜的一个原因是，虽然他在世只
有短促的生命，但绝不是枝短蜡烛；他是枝光辉灿烂的火炬，
充满活力、有亲和力，令人钦佩及信服，散发着我们每人梦寐
以求的性格。罗斯每天都把他的天赋才干充分发挥出来，从未
虚度光阴；虽然他与我们相聚的日子是如此短暂，却从未亏欠
任何人。他的死亡虽然悲惨，却启示我在有生之年必须要燃烧
得辉煌。

英国名诗人邓约翰曾说："人不是孤岛，不能离群独居。
每个人都是大地中的一小块，整体的一部分。任何人的死亡都
会把我缩小，因为我与整个人类息息相关，所以不要问死亡之
钟是为谁而敲；那是为你敲的。"

请安静下来，聆听那钟声吧！在它成为死亡之钟前，让它
成为我们的警钟吧！

第二部

中场

最要紧的是了解自己，明白上帝真正要我做的是什么……找到我能为之生也为之死的理想。

齐克果

第七章　检讨得失

我常说：导致人类不快乐的惟一原因，是他不知道如何安静地呆在屋里……人所要的，不是能让我们思索不快乐原因的简单、平静生活，不是战争的危险，不是办公室的重担，而是会搅动我们心绪的欲望追求。这就是为什么我们喜欢猎取、追逐，而不喜欢沉静掌握；这是为什么人们迷醉于喧嚣和忙碌；这是为什么监狱是如此可怕的惩罚；这也是为什么安于独处是如此的令人不可思议。

巴斯卡　《沉思录》

我父亲和我儿子都是猎人。触发他们两人热爱原始户外活动的遗传因子，似乎漏掉了我这一代。我喜欢室内运动，比较容易掌握结果，且有计时钟掌管赛程。有时计时钟是我们的盟友，有时却是敌人。我特别喜欢美式足球，每 15 分钟就把所有统计数字都算出来；我也喜欢商场上的竞争，每 3 个月就把基本成本及利润统计出来。在球赛终场或年终，都可以知道总分是多少。

我喜欢计算分数。

无论如何，巴斯卡说对了：许多人喜欢猎取、追逐，不喜

欢沉静掌握。疯狂的追逐可以使人得到比获致成功更多的满足。人喜欢把自己埋葬在喧嚣、疲于奔命、日复一日的例行公事中，不曾花时间体会安静独处的奇妙和宁静；然而，只有在那宁静中才能听到上帝轻柔的声音。

著名神学家及哲学家齐克果曾经说："如果我是医生，有人征求我的意见，我会回答说：制造安静。"

中场不能是个嘈杂的地方。

上半场多半是非常嘈杂、忙碌，甚至混乱的局面。不是你不想聆听上帝微小、轻柔的声音，而是你似乎没有时间聆听。试着回想过去两个星期的每日行程吧！很可能你会连昨天做了什么事都想不起来，何况是两星期以前的事。如果把记事本拿出来，就会明白其中的原因——有太多事要做，根本不可能记得每一件事。

这些事都重要吗？你愿为这些事付出生命，期盼着更多像这样的日子吗？人往往期待工作能带来比薪水更多的东西，能带来人生的意义；但工作终究只给许多人带来失落、暮气沉沉的中年危机。好几百万人迈入不惑之年时，并非踌躇满志地觉得自己正处于春秋鼎盛期或事业的最高峰，反而感受到被困在牢中——困在失去挑战性的工作，困在濒临毁灭或枯燥乏味的婚姻中——是自己 20 年前的某个决定的受害者。

哈佛大学商学院特别为身处中年的人举办了一场很有趣的研讨会，题目是"有选择的年岁"。研讨会的目的是向与会者保证："他们事业的下一阶段将充满了满足与方向感。帮助与会者评估他们事业发展的途径，按照个人的需要和喜好来拟定未来的选择。"我提到这个研讨会，不是替他们做宣传，而是强调在社会中这个需要是何等普遍，当婴儿潮期出生者开始踏入不惑之年，就会有更多的人进入人生中场。

觉得自己需要改变并非反常现象，也不需过分担忧，但有这种需要的人常会犯一个错误：忽略了那叫他们停下来静听的声音。忽略的方法很多，有些人压抑那声音，告诉自己需要更多的纪律和专注点；有些人则转换人生方向——有些是健康的方向，有些则是鲁莽的方向。我觉得大多数人过着行尸走肉般的生活，逼自己支撑到退休为止。上面所提的这些方法都不能让下半场比上半场更精彩，反而可能比上半场更糟。

如果你听到上帝轻声对你说话，那就是该走向球员更衣室，喘一口气，准备打下半场的时候了，以便迎接一个比上半场更好的下半场。对足球教练和球员来说，这是检讨得失的时刻。上半场的成绩如何？哪些策略有用？哪些不管用？在下半场，那些不管用的策略必须有所调整，否则干脆放弃不用；要拟定新的策略，且适当地嵌入已有的策略中。很多时候，下半场的胜利完全取决于中场的决策。

当你在做中场检讨时，请问问自己类似下列的问题：我的人生憧憬是什么？我有哪些特长？我属于何处？我相信什么？我要如何把信仰导入生活中？或如彼得·德鲁克对那些正在寻找人生使命的人所提出的问题：我的价值观是什么？我的愿望及人生方向是什么？如果要达到对自己的要求及对人生的期望，我应该做什么？学什么？改变什么？

我虽然无法清楚告诉你这些问题的答案，但可以分享一些在我准备回去打下半场球时，对我最有帮助的普通原则。

人生下半场

走出遗憾。许多人带了一大堆对上半场的遗憾进入下半场（例如：我当初该多花点时间照顾家庭，该多培养些友谊，该……）。遗憾是很沉重的感情包袱，像乌云笼罩着我们，把可以促使我们更上一层楼的精力和灵感消耗殆尽。所以中场的第一件要事，就是解决上半场所有的问题，抚平心境。

这并不是说，你对以前所做的事都引以为荣，或不需要做任何改变。任何人只要诚实地反省，都会想起一些"早知如此，何必当初"的事；关键在于用正确的角度来看事情，接受这些是成长过程中不可避免的事。

我的一个朋友对自己教养儿子的方式觉得很后悔，于是就向一位好友倾诉内心的痛苦，好友的回答带给他无限的安慰：沉溺在过去做错或该做而没做的事中，是于事无补的。过去你用有限的知识和经验做了当时认为最好的事，你不是有意伤害儿子，或令他失望。现在因为增加了一些人生经历，才能够看见还有更恰当的方式来教养孩子。不要因为过去未适度表达善意而谴责自己。

人无法让时光倒流，把过去的错误涂抹掉，所以我们就只有两条路可走：让自己沉陷于错误里，为错误带给家庭或事业的不良后果抑郁以终；或者靠着上帝的恩典，谦卑承认错误，把它们当成惨痛的教训，从中学习到一些对下半场有价值的经验。中场检讨不是为以前没做好的事来责罚自己，而是勇于认错，领悟到我们需要靠上帝的恩典生活。

付出时间。在上半场最易犯的毛病，就是没有花时间在真正重要的事上。所以，进入中场时切记不可重蹈覆辙。当然，

这就得花一番心血，要有纪律，善用时间。一般人有个倾向，就是把重要的事当成在已经过度饱和的日历上，再加一个约会而已。但是，若你不是真的想要改变生活方式，就不必踏进人生中场。

不久以前，我有幸见到日本规模庞大且成功的松下电子公司董事长松下幸之助先生。他有个习惯，也是亚洲人中常见的习惯：每隔一阵子，他就会走进花园，沉思及反省人生。当松下先生走入会议室时，众人顿生钦佩景仰之心。不需言语表达，他就散发出一股震慑人的专注感及雍容高雅的沉静力量。

我大力推荐且鼓励每个人退出人群一段时间，做这类中场的反思。它已成为我人生下半场的特色，几乎每个周末都分出一部分时间来反省自己。几个小时不受人打扰地阅读和沉思，使我从泉源支取活水，滋养接下来一个星期的活动。我建议你可以比平日早起一小时静心沉思，或去外地旅行度过周末。

你花了将近 20 年的时间才来到中场，所以别想用短短的几小时就解决上半场所有的问题，且为下半场拟定新策略。大部分人的中场可能需要花几个月到几年的时间；如果不愿花应当花的时间，就无法做好中场检讨。

深思熟虑。中场不只是把脚翘起来打坐，也不只是思考、祷告及游玩。成功的中场需要一点架构，所以要订定一个能帮助你经历重要课题的行程表，包括祷告、聆听上帝、看圣经及思考的时间，另外还要加上一些慎思的问题。下列的问题能帮助你做个开始：

• 目前的生活中是否缺少什么重要的东西？

• 我一生向往什么？

• 我是谁？

• 我认为什么东西有价值？

• 接下去的 10 年、20 年，我想做什么？

• 我已纯熟地运用上帝所赐的哪些恩赐？

• 我尚未运用哪些恩赐？

• 我愿意为何而死？

• 工作上的哪一部分让我觉得被困在牢笼中？

• 我可以在工作上做些什么实际的改变？

• 为了更符合真实的自我，我愿换个压力较少（薪水较少）的工作吗？

• 为了使下半场比上半场更好，明天我该采取什么行动？

　　你可以考虑把答案写在笔记本或日记上。我每天都会写一点类似心灵自传的东西——描绘我生命中的神圣故事，也即对自我那最崇高、最可敬的部分毫不放松的寻求。如果这听起来有些妄自尊大或自命不凡，那是因为你的一只脚仍踩在上半场，你的"专长"仍被锁在心灵密室。请敞开心门，让这些答案从你记载的自传中宣泄出来吧！

　　分享心路历程。我无法想像，若没有我妻子玲达陪伴，从上半场转换成下半场将会是何种情景！当我被迈克·卡米逼着，在金钱与十字架之间选择其一作为我人生最高目标时，玲达坐在我身旁。当我选择十字架时，她没有畏缩，但她也不只是沉默地陪着我。她问问题，提供意见，让我诚实面对自己。如果你的婚姻是真正的合伙关系（我认为应该是），若不先与配偶商量，就把一个全新的生活方式硬塞给他（她），那是不对的。

诚实以对。有些人误以为中场是幻想时期，为自己描绘一些根本无法实现的远景，但白日梦并无法帮助你有个较好的下半场，你需要诚实面对关于财务、家庭、长期目标等严肃且细微的问题。你真的问这些困难的问题时，不能敷衍了事地给个回答。如果想要使下半场比上半场更美好，就需要找到"真我"。上半场大部分的时间，你被迫扮演另外一个人，这并非意味着你是双面人，而是为了事业的高升，每个人都可能身不由己地这样做。人生下半场该以真面目出现，所以请诚实地找出"真我"吧！

耐心等待。花了将近20年的时间，你才到达目前的地位，所以不能在一朝一夕就让一切重新来过。明天你仍要去上班，账单仍会邮寄到府上，顾客仍在等着你的回电。描绘着你该做什么的清晰蓝图，可能不是很快就会呈现在你眼前，也可能永远不会呈现！

跨出信心。对基督徒来说，中场基本上就是回答一个问题："如何把信仰活用在生活中？"回答这问题的第一步，就是凭信心跨出去，相信上帝会带领你，透过圣经及祷告，上帝会把一些思想放在你心中。来倾听上帝的声音吧！对那些已习惯于听从顾问、上司、下属及市场研究结果的人，这可能是件难事，但还是应该聆听且信任上帝。

中场检讨练习

在准备有个更美好的下半场之际，下列问题能帮助你好好检讨上半场的得失。请诚实地写下你的回答。

1. 我希望世人如何纪念我？如果人生真能如你梦寐以求一般，请描绘那该是什么样子。

2. 金钱呢？多少才算够？如果有超过生活所需之金钱，多余的部分该做何用途？如果收入不敷所需，我愿意如何改变生活方式？

3. 现在我对自己的事业有何感想？十年之后仍然想做同样的事吗？

4. 我过的是均衡的生活吗？生命中有哪些重要层面是值得多花时间的？

5. 我生命中该效忠的最高对象是什么？

6. 我应该从何处找寻人生下半场的灵感、导师及生活典范？

7. 彼得·德鲁克说，人生最重要的两大需要是自我实现和群体生活。请用 1 到 10 之间（10 是最高）的一个数字，表示自己在这两方面的成绩。

8. 用一条线来描绘你人生的高潮与低潮；或用三条线来描绘人生三方面的起伏：一条代表个人生活，一条代表家庭生活，一条代表事业。三条线在何处交集？何处分歧？

9. 下列哪一种转换方式比较适合你的性格和恩赐？（用 1

到 10 来评分）

    a. 继续做我已熟悉的工作，但换个环境。

    b. 换工作，但留在原来的环境。

    c. 把副业或一种嗜好变成新的事业。

    d. 两个或三个事业同时并行（并非作为嗜好）。

    e. 继续现在的事业，甚至做到应退休之时。

  10. 我希望儿女得到什么？

中场的目的是检讨得失、倾听上帝的声音以及学习。最能让对上半场感到疲乏厌倦的人产生共鸣的，就是大卫在《诗篇》的呼喊：

上帝啊！求你鉴察我，知道我的心思；试炼我，知道我的意念；看在我里面有什么恶行没有，引导我走永生的道路。

第八章　你相信什么

在我记忆中，找不出有哪一天不相信上帝。我觉得大部分美国人的信仰与我一样（许多民意调查结果也支持这个看法）。但不知何故，大部分的基督徒都卡在"不信"与"认识上帝而坚信"之间。为什么会这样呢？为什么在上半场，我花了那么多时间，想勾勒出上帝的形象？

这种对信仰的挣扎，有一部分是好的，因为上帝毕竟是既单纯又复杂的上帝。一个全知、全能又亲切的上帝，对我们来说是相当莫测高深、不可捉摸的观念。在上半场中对自我价值的认知不足，也是导致信仰挣扎的原因。我们拼命争取大生意，或用收入高低来衡量自己是否成功，这种"征服者的心态"使我们不知不觉地把上帝也列为自己的战利品，或是想将上帝量化。我们研究上帝，分析、解剖、测量上帝，最后并以肯定、自豪的口吻说："我**得到**了上帝。"

在这一点上，我觉得教会对基督徒没有多大帮助。教牧人员似乎认为那些坐在台下、按时奉献的弟兄姊妹并非真正相信上帝。但每星期天上教堂的 8000 万美国人，大部分是真正相信上帝的，他们不是无神论者或异教徒；他们也许不够敬畏上帝，但至少都在寻求上帝。他们与一般人有所不同，舍弃星期

日的休息，而愿意早起、穿着整齐地到教会去。但到了教堂，大多数人都需静坐一小时以上，聆听牧师重复讲述他们早已相信的事。

这个情形不能再继续下去了。一个人能够听道、参加查经、自我反省的时间有限。中场是让我们从试着**了解**上帝转变成学习去**认识**上帝的大好时机，谦卑接受自己不可能完全了解上帝的事实，开始凭信心相信上帝真的认识且爱我们。

杰姆·罗素（Jim Russell）是个正处于人生下半场的密西根商人，他白手起家，努力奋斗，终于有个非常成功的事业。现在他把绝大部分的时间和精力投注于建立上帝国度的工作上。为了让更多的基督徒把他们对上帝的信心化为行动，杰姆设立了征文比赛艾美奖，第一名奖金一万美元，写作的主题是引用圣经经文，来支持"世俗报章杂志中应有基督信仰的教导"这个看法。

杰姆的目的是鼓励基督徒从暗处走出来，在多元化的社会里负起应有的责任。他认为耶稣基督的福音在美国已广传了，大部分的美国人已听过福音且接受了，只是他们不知道该如何把信仰应用在生活中。他深信，只要基督徒学会了把信仰化为行动，就能彻底改革社会。没想到这个保守派的企业家居然有如此令人咋舌的理论！但他的观点是值得我们瞩目的。

有时候，我觉得我们把圣经里最简单的真理弄得太复杂了："相信主耶稣基督，你就必得救。"这令人安慰且奇妙的句子，并不一定是说：若属于一个教会，有完美的神学见解，在教会一些争议的事上采取"正确"的立场，或奉献财物给慈善机构，就可以使我们与主耶稣有正确的关系。这些事情并非不重要，只是我们该问自己是否花了太多心思和时间在这些事上，并扪心自问：**这就是我今后一生想要做的事吗？相信基督就仅意味着这些事吗？**

圣经上说，成为基督徒的条件是完全凭着信心，接受耶稣是上帝的儿子，是能救我们脱离罪恶的惟一救主。我们已站在一垒上，不用再与自己的信仰挣扎，因为上帝已把这事解决了。

你相信这些吗？以孩童般单纯的信心相信，因而准备好把上帝全然放入你生命的盒子里吗？你准备好把信仰化为行动，迈进人生的下半场吗？

我去找迈克·卡米的时候，已相信自己是个基督徒，因为在幼年时，上帝就赐给我对他的信心。但像许多在上半场的基督徒一样，我的信仰只局限于自己，还不能与别人分享。这位有见地的无神论者要求我指明，我人生中最重要的是什么，逼我以戏剧化且改变我一生的方式，在信仰上做个抉择。

我有个非常聪明的企业家朋友，是个大部分人认为功成名就的人物，他以一个简单的想法建立了出版王国，得到了成功所带来的一切福祉。此外，他还有个可爱的妻子及模范家庭，且是个热心的基督徒，有着修长结实的身材，刚步入不惑之年；若明天退休，也能一辈子吃喝玩乐，享受那取之尽、用之不竭的成功果实。可是，他却面临妻子要离他而去的危机。我非常了解他们的情形，绝没有"第三者"加入，她没有婚外情，他也没有变心，我相信两人仍然彼此相爱。但他们马上就要加入美国许多不幸家庭的行列，经历家庭破碎的悲剧了，这一切都是因为我朋友无法只在生命的盒子中放一件东西。像典

型的上半场球员，他想拥有一切，这疲于奔命、介入太多事务的生活形态，正是摧毁他自己和家庭的杀手。

你只能让你生命的盒子空一段时期。如果你自己不选择把什么放在盒子里，生活的惯性就会让其他东西来替你选择。如果我朋友不毅然决然地做一个决定，他的事业就会挤进盒子里。据我揣测，让别的因素来决定盒子里该装什么，是导致基督徒离婚的主要原因，他们让环境来决定自己对上帝的委身程度。

你明白为什么把这件事弄清楚是十分重要的事吗？上半场时，有太多事物使你在人生最重要的问题上分心，现在你处于中场，是因为不愿意再让那问题悬而未决。上帝微小轻柔的声音终于得到了你的注意，你心里明白，若不回应这声音，就无法回到球场继续比赛下去。

如果你想让人生的下半场与上半场不同且更美好，这是你必须要回答的问题：

你盒子里装的是什么？

第九章　找到真正要你做的事

好莱坞的一部西部片可以拿来做个比喻，片名是《都市滑头》(City Slickers)，由比利·克利斯托（Billy Crystal）和杰克·巴兰斯（Jack Palance）主演。

让我先来介绍一下剧情。巴兰斯和克利斯托骑着马缓缓横过牧场，边走边谈人生与爱情。巴兰斯饰演有智谋的牛仔，克利斯托则饰演从洛杉矶来牧场度假两星期的城市佬，当然他得到的比想像中更多。在整个过程中，克利斯托学到一些关于他自己的重要事情。

请注意听他们两位被我稍稍改编的谈话：

克："……事完之后，她立即整装回到太空船，一去不回头。你会这样做吗?"

巴："她是红发女郎吗?"

克："可能是吧!"

巴："我喜欢红发。"

克："你结过婚吗?"

巴："没。"

克："以前有没有坠入情网?"

巴："一次。那时我正赶一批牛横越德州平原，在黄昏的

时候，经过一小片农场，有个年轻女子在田里工作。就在那时，她站起身来伸懒腰，身穿一件薄薄的棉布连身裙，夕阳从背后照来，把上帝赐给她的美好曲线表露无遗。"

克："发生了什么事？"

巴："我转头就走了。"

克："为什么？"

巴："我想了想，觉得不会有什么结果。"

克："对，但你知道，你可能会跟她有一段萍水之缘哪！"

巴："我已跟不少的女人有过。"

克："可是，她可能是你人生的至爱呀！"

巴："她的确是。"

克："太棒了！噢！不好！不对！那是大错特错。你可能错过了人生最美妙的事。"

巴："那是我的选择。"

克："我绝不会那样做。"

巴："那是你的选择。牛仔过着不同的生活，我指的是过去还有牛仔的时候，现在已渐趋寥落了，但对我来说这是很重要的。一两天后，我们就会把这群牛赶过河流、赶过山谷。啊！哈哈！没有任何事能与驱赶牛群相比。"

克："这挺好的，生命对你有意义。"

巴："哈哈！"

克："有什么好笑的？"

巴："你们这些城市佬，成天到晚想的就是性……"

克："性？我老婆还告诉我，不要在她身边转来转去呢！"

巴："她是红发？"

克："我只是说……"

巴："你多大年纪？38?"

克："39。"

巴："嗯！你们差不多都是同一个年纪，同样的问题。1年50个星期都在绳子上打节，然后想用两星期的时间在这里把节都解开，没人能做到。（一段长长的沉默）你知道人生的秘诀是什么？"

克："不知道，是什么？"

巴："这个。"（他举起食指）

克："你的手指头？"

巴："一件事，只有一件事。你不屈不挠而坚持不断的做那件事。性就不会是人生的全部了。"

克："太棒了！但那一件事是什么？"

巴："就要靠你自己去搞清楚！"

我每一次看到那幕戏时，立即就联想到这是个揭开深奥真理的比喻，充满了真实与智慧，特别能引起婴儿潮这一辈的共鸣。历经风霜、满脸皱纹、头戴牛仔帽，口叼香烟的杰克·巴兰斯是个资深的人生哲学家，道出了对你我都真实且简短睿智的话语，虽不是特别优雅的文句，却巧妙地传达了一个强有力的信息。

他话中的感性与美国码头工人哲学家艾瑞克·霍佛的格调有雷同之处。霍佛很有智慧地观察到，"忙碌的感觉，不是充实、满足人生的产物，相反的，是害怕自己在浪费生命，一种莫名恐惧的结果。如果不做应该做的那件事，我们就是全世界最忙碌的人，没有时间做其他的事。"在人生上半场时，你可

能常觉得自己是全世界最忙碌的人。要有成功下半场的关键，就在于找到真正要你做的事，在发挥专长的过程中，就会得到圣经所谓的喜乐或幸福。

大部分的人一生都没发觉那件真正要你做的事。人生上半场快结束时，令人心烦意乱、焦躁不安的部分原因，就是我们知道自己真正的价值就是在某个地方，但究竟在哪儿？正如比利·克利斯托所饰演的角色，我们极度渴望找到它，却不知该往何处去找，往往拿一些只能暂时缓解情绪的东西填充在那空处：

- 赚钱、花钱
- 计划、竞争（得胜）
- 人际关系

《从里向外的蜕变》（Inside Out）一书的作者拉利·克拉伯（Larry Crabb）曾提到这个渴望，他形容这是一种想把"内心中空的部分"填满的欲望，是"心灵深处最主要的渴望"。在事业上首次得到成功时，你透过累积和获取财物满足这主要的渴望。还记得吗？上半场着重于猎取和收聚，堆满东西的顶楼、车房和橱柜就是最好的证明。也请留意一下，你花了多少时间在娱乐、休闲和社交活动上。

这些活动不好吗？当然不是；但这些事物绝对无法满足那想要找到真正要你完成的事的渴望。一旦找到了，你就会有个截然不同的人生。

上帝已经把他真正要你做的事像电脑软件程序一般规划在

你的生命中。使徒保罗在《以弗所书》提到这件事："我们原是他的工作，在基督耶稣里造成的，为要叫我们行善，就是上帝所预备叫我们行的。"要你真正做的就是你最重要的部分，超越世界的部分。所以，去发掘你的本性吧！不要把别人加给你的形象穿在身上，也不要把别人的目标注入你的个性中。

知道你生命的盒子里装的是什么之后，就能确定你人生的根基是谁（或是什么），也会解决信仰的问题。但仅仅知道盒子里装的是什么还不够，还需要知道谁在托着人生，知道你是上帝为了一个特殊目的而创造的特殊个体。你人生的目的是什么？人生的最高准则是什么？什么是你所擅长的，就算不拿薪水也喜欢做的事？你人生的憧憬是什么？有哪些火苗只需些许微风就能点燃成熊熊烈火？

在人生上半场，我们不问这些问题，是因全心忙着做我们以为是对的事。如果你开始觉得"对的事"不是"真正要你做的事"，那意味着你已到了上半场的尾声。这就是彼得·德鲁克所说的"效率"（efficiency）与"效果"（effectiveness）的分别。彼得说，"效率"是把事情做对、做好，而"效果"是做真正该做的事。

比起比利·克利斯托对杰克·巴兰斯的影响，我希望能提供你更多的帮助，但找到真正要你做的是你个人的事。我只能肯定地告诉你一件事：从生意的交际应酬场合冲去教会聚会，然后赶去看儿子球赛，再飞去与朋友聚餐，然后精疲力竭的回家躺在床上，绝不会带给你持久的使命感和方向感。如果你不能抽出时间，安静寻求他真正要你做的，就表示你还没有准备好去发掘它。

第十章 从成功到有意义

导致人生不幸福的二大原因：一是得不到所要的，另一则是得到了所要的。

萧伯纳

为什么麦可·乔丹（Michael Jordan）要离开世界冠军级的篮球队，加入一个二流的棒球队？

为什么约翰·麦隆（John Malone）甘愿只拿一半的薪水，到一个有3000万美元债务、濒临垂死边缘的有限电视公司去当总经理？

为什么你翻阅求职版，想换个工作，或幻想做个小餐馆的老板，或想加入一些短宣队？

一个处于上半场尾声的人，最常见的征兆就是有股想从成功变为有意义的强烈欲望。我们在上半场做了该做的事后，在下半场就想做一些有意义的事，超越风光体面、高薪的层面，进入有意义的境界。

成功并非不好，美国人热爱成功自有其来由。从小父母就鼓励我们在球场或课堂上拿第一名（现今我仍记得在奥克拉荷马州奥克穆机小学一年级时，得到拼字比赛冠军的事）。高中

生努力读书，希望毕业时拿好成绩，为的是可以进入全美各大著名大学就读，毕业后有机会进入有声望的公司，得到高薪职位。相对的，雇用最优秀人才的公司，也希望被著名杂志或刊物列在最赚钱的公司名单中。

我已在商业界打滚了 30 年，还没见过任何公司想成为最好的二流公司，也不会有任何公司想如此做。想成为第一的欲望是个强烈且积极的推动力，不仅是造成经济兴旺的动机，也是促使我们认为人人皆可成为杰出人物的生活方式。即使最终没有达到目标，所下的工夫已把我们提升到自己的期望以上。

用最正面的说法来诠释"美好的生活"，它是追求成功的健康欲望所带来的结果。但在走向成功的路上，我们开始得到一些信号，告诉我们仅有成功还不够。你可能已感觉到下列的信号：

1. 完成一笔大生意，却无法带来像 10 年前那样的兴奋。

2. 一位新进后辈快要迎头赶上你，你非但不急着赢过他，反而想助他一臂之力。

3. 你花很多时间思考，如果重新来过会是怎样的局面，或想换一个比较轻松，但让你较能掌握生活的工作。

4. 你有稳定的工作，却常常翻阅报章杂志上刊登的求才广告。

5. 你想知道什么东西能让你的客户动心，而非只想推销你的建议而已。

6. 你美慕那些为了多花时间与家人相聚，或投入梦想已久的服事，而有勇气辞去现职的人。

7. 你会用完所有的假期，而且开始用掉一些"补假"。

8. 开始问自己："多少才算够?"

9. 老板暗示要提升你的职位，却无法使你为公司更加卖力。

10. 你在认真考虑如何开始自己的事业。

11. 有一天你儿子说："爸！过个像样一点的生活吧!"

根据心理学家唐诺·卓伊（Donald Joy）的观察，人一过了40岁，就会想做一点轰轰烈烈的事、比自己能力稍高一点的事。例如农夫就会去贷款，把农场扩展成当地最大的农场；公司的中阶主管则辞职去发展自己的事业，或想从自己的嗜好、副业中创出一些成就；业余登山者试着去征服某座著名的高峰；周末划船消遣者想独自横越大西洋。

有人可能认为这些野心勃勃的举动，是再次企图得到成功的表示，但不是只想成功而已。人进入中年时，就会领悟到，我们所能购买、管理及拥有的东西很有限的，也开始觉悟人的生命有限。说完了、做完了自己的事之后，如果我们的成功无法带来等值的意义，那个成功就相当空洞；而我们在人生上半场所做的，有不少是没有永恒价值的事。一位哈佛大学毕业且非常有成就的企业家，提到自己在事业上的许多成就时说："我发现在彩虹那端、金钱的后面，只是镜花水月般的空虚。"

来看看我的好友豪尔德吧！年45，拥有当地同业最大的公司，身兼主席、总裁、总经理三职。在我所属的青年总裁协会中，每个成员都是能力高强、野心勃勃的青年才俊，而他是我所认得的最积极进取、冲锋陷阵的一位。

人生下半场

他那行的同业杂志恭维他是"大白鲨"，把他比拟为"寻求热度的火箭"。他领导的是一个大型服务公司的心脏部门，许多人臆测，在不久的将来，他就会被调到纽约总公司做高级主管。

豪尔德是个超级成功者。3年前我在青年总裁协会聚会上遇见他，他洋洋洒洒把所有的成就如数家珍地说给我听。

他说："我的事业是最重要的。每星期与4个客户交际应酬，不常在家，但家人必须了解我的工作最重要。我们一年有一次高品质的假期，此外就不能有所奢求，人生就是这样嘛！"

然后，一个巨浪无情地朝豪尔德袭来：大约一年半以前，他的独子在一次意外中丧生。

在那之前他没有任何心理准备，因此他完全无法面对这次打击，伤心欲绝，心思被许多没有答案的问题煎熬着。事后，有一天我在青年总裁协会的会议中再次见到他，他轻声对我说："我不知道该如何处理这件事，我需要跟你谈谈。"但他事后并未打电话来。他埋首于工作中，从他黯然无光的眼神里，我看得出生命的某些火花已经失去，工作无法带给他像以前一样的满足。

几个月前，在青年总裁协会的宴会中，我再度坐在豪尔德的旁边，他倾身过来告诉我，他将工作到年底，但辞职的消息及已选定的下任总裁名单，将在隔天的报纸上刊登出来。他还不确定将来要做什么，但商界的角逐厮杀对他而言已失去吸引力，不再是掌管他全部生命的准则了。

接着，豪尔德带着灿烂的微笑说，前一星期他打电话给最大的几个客户，告诉他们自己将离职的消息，"打电话时，一件奇怪的事发生了。这些人都跟我一样，同样的年龄、同样的干劲，坚强、有野心。他们每个人都发出同样的回应：先是差不多20秒钟的沉寂，然后对我说："你这小子，比我厉害，先拔头筹，我跟我太太也在谈同样的事呢!"

最近我打电话到办公室，他溜到游乐公园去与一些市区的贫苦儿童打篮球，那时是周间某天早上10点的光景。他秘书说他会回电话，我说不用了，没什么急事儿。

就在我眼前，豪尔德从人生的上半场转入了中场。他正在探索生命的盒子里装的是什么。

成功，就是当你朝事业的顶端往上爬的时候，把盒子一起带着走，却未必知道盒子里装的是什么。当你在人生的旅程中驻足，静下来看看你盒子里装的是什么，然后以盒中物为中心，重新规划人生，这就是意义的开始。对基督徒来说，可能就是把上帝放进盒子里，然后跟着既定的方向走。很遗憾的是，大部分人认为，成功的基督徒企业家就是奉献很多钱给教会的有钱人。事实上，当基督徒找到一个献身给上帝的途径时（如果他盒子里装的果真是上帝），他的人生才真有意义。他可能不需要改变工作，但心态一定需要改变。在《组织行为》杂志中，丹尼斯·欧康诺和康诺·沃尔夫把这心态的改变称为"个人的通盘转移"（即个人观点、信仰、价值观和感受的重大改变），我则称之为个人人生哲学或理念的重新规划。

在我的情形，是把公司里天天例行的运作交给别人管理，我才有时间直接与教会领袖同工，这是我觉得上帝对我的呼召，引导我用这种工作服事他。在那之前，我仅作十分之一的奉献，有时另外加上对某些人的爱心礼物。现在我把四分之三

的生命投注在适合我天赋才干的神圣工作上。

　　我不相信上帝赐给我们某些特殊的才干和个性，然后要我们用另一种才干和个性来服事他。上帝创造了一个有效率且合情合理的大自然，论到人的时候，又怎么会违反他精心设计的模式呢？

　　我认得一个精明能干的系统分析专家，当他接近人生中场时，就开始思考如何能把更多的时间投入自己的事业中。他教会的牧师好心地鼓励他做个初中生的主日学老师！我一点都不反对主日学（我已教了许多年），但如果这位基督徒能使用他电脑及商界上的长才，对教会将有莫大的贡献。他想从成功进入意义，但别人却提供了一个几乎注定失败的服事机会。如果是你的话，会如何选择？

　　事业不一定需要有一百八十度的转变，才能带来意义。只要做一些调整，使你挪出一些时间把才干，用在与盒子内容有关的事上，而且是用当初第一笔生意成功的兴奋与干劲去做。上帝对你的人生下半场有个极好的蓝图，能让你用你喜爱且擅长的工作来服事他。

第十一章　找到中心点且留在那里

旋转着的地球主轴……就是人生舞台的中心点。在那里，过去与未来衔接着……能超脱日常生活中的欲望，从活动与痛苦中释放出来，从内在和外在的冲击中解脱出来。

　　　　　　　　艾略特（T. S. Eliot）　《四个四重奏》

我有偏于中庸之道的倾向，即使在人生上半场也是如此。人生上半场时，大部分的人都疯狂地穿梭于烦躁追逐和枯等生意这两种极端中。不知何故，我总能回复到中心点。我想我是天生如此吧！

如果在上半场我常能回到中心点是因为运气，那么在下半场，就是我意志的选择了，因为一个人只能有一定的运气。上半场终了的一个警告信号，就是你觉得不应该花太多时间在两个极端上，而该在实际生活中，努力地在所有的压力及张力中找到舒适的平衡点，而且维持那个平衡。中场给我们停下来休息的机会，好弄清楚自己困在怎样的极端中，然后决定在下半场如何安适地活在这些极端之间。

这是可以做得到的。

哈佛伦理学家罗拉·娜希写了一本优良的教育书，名为

《企业界的基督徒》（Believers in Business），叙述了许多活跃在商业界基督徒的故事。她访问了 60 位福音派基督徒企业家，要发掘他们在工作中如何平衡各种相互拉扯的张力。

首先，娜希指出基督徒企业家所共同面对的七个拉扯力：

1. 服事上帝 vs. 追逐金钱

2. 爱心 vs. 竞争

3. 人的需要 vs. 公司盈余

4. 家庭 vs. 工作

5. 在面临成功之际，如何维持个人观点

6. 慈善事业 vs. 财富

7. 如何在多元化工作环境中成为上帝忠实的见证

听起来耳熟吧！你曾经处于上列哪两个极端的张力中吗？如果你以负面的态度看这些拉扯力，恐怕你仍处于人生的上半场吧！可是，如果你开始认为这些拉扯不仅是必须的，而且还是有益的，那么你已进入中场了。在进入下半场的途中，通过学习如何斡旋互相冲突的事，你就会发现减少拉扯的方法。换句话说，当你知道自己无法化解这些拉扯后，内心就会得到平静。这些拉扯会永远存在，而基本上也没什么不对。

假如娜希博士发现，这 60 位基督徒总经理之所以能正面地处理这些拉扯力，只因为两个关键词（平衡与信心）而已，这结论未免下得太简单了吧！如果这听起来似曾相识，可能是因为圣经清楚地教导我们，人生不是天色常蓝、花香常漫，也不是完全漆黑、痛苦；有悲欢离合、有冲突也不是坏事。从大家熟悉的《传道书》第三章，我们学习到这一点。

　　凡事都有定期，天下万物都有定时，生有时、死有时，栽种有时，拔出所栽种的也有时……哭有时，笑有时，哀恸有时，跳舞有时……我见上帝叫世人劳苦，使他们在其中受经练。上帝造万物，各按其时成为美好。

　　圣徒保罗也清楚地讲到人生的酸甜苦辣。

　　反倒在各样的事上，表明自己是上帝的佣人，就如在许多的忍耐1、患难、穷乏、困苦、鞭打、监禁、扰乱、勤劳、儆醒、不食、廉洁、知识、恒忍、恩慈、圣灵的感化、无伪的爱心、真实的道理、上帝的大能、仁义的兵器在左在右、荣耀羞辱、恶名美名。似乎是诱惑人的，却是诚实的。似乎不为人所知，却是人所共知的。似乎要死，却是活着的。似乎受责罚，却是不至丧命的。似乎忧愁，却是常常快乐的。似乎贫穷，却是叫许多人富足的。似乎一无所有，却是样样都有的。

　　这简直是包罗万象！圣经里任何一位伟大的英雄都不例外，无论是亚伯拉罕、约瑟、摩西、大卫或使徒们，我们怎能期望过个舒适、一切都在预料中的生活呢？上帝呼召我们过着有拉扯及互相冲突的生活，不是无可奈何、得过且过，而是在这些压力下更意气风发！运动学上有一个名词，叫做"区"，就是在某一个时刻、某一个场合，为了一场球赛、一个表现、一个投球，所有胜负的拉扯力、物理和超自然的拉扯力、人与

灵的拉扯力，都暂时止住了。

可惜的是，有组织的宗教常强调一个远离混乱和困惑的人生。我认识一位牧师，他把讲台称为"远离矛盾 10 英尺的安全区"。中古时期，修院制度及宗教团体认为，敬虔的生活是远离罪恶及喧嚣街道的生活。今天我们仍然认为严肃的宗教生活是远离尘世的生活，只有受过训练的全职传道人才能做到。

事实上，世人需要看见的是，无论我们处于困惑中、死荫的幽谷中，或混乱的隧道中，一切熟悉的指标全消失殆尽的时候，上帝仍与我们同在，与我们一起克服困难。当我在里欧·葛兰蒂河岸的高崖上，用拳头捶打租来车子的方向盘、为失去爱子哀哭伤痛、涕泪纵横，弄湿了毛衣、为可怕的失丧之苦发出痛楚的呼喊时，他与我同在。

上帝陪伴在我身旁。

现代人要求的生活井然有序且美观雅致，要他的宗教合乎理性。但实际上，我们是悬浮于井然有序和混淆困惑之间，在已知和未知之间。只有当我们开始化解人生上半场的问题，且放下那个想要掌管自己人生的欲望时，才能在一切的拉扯力之下安详稳定地过生活。

在我自己的天路历程中，称这个平衡点为"耶稣区"。生活中有二个极端，一个是焦虑，一个是无聊乏味，两个极端都令人不舒服，在这两极端中间晃来晃去的生活也不舒服。但在上半场，大部分的人都活在这样的景况中。

只有在决定盒子中装的是什么之后，我才学习到如何在焦虑和无聊中悠闲地生活。越靠近中心（主耶稣），就越能接受冲突和矛盾。焦虑和无聊仍然存在，但我能制止他们不靠近我。今天我奋力追逐一笔大生意，明天就能享受乔叟（Chau-cer）的中古诗词，知道在中界点如何超越二个极端。在耶稣区，我发现工作与家庭能同时存在，信心和市场不互相排斥，成功和失败都可以接受。

让我举个例子。与迈克·卡米交谈，且回答了"盒子里装的是什么"这问题后不久，我面对一个极大的生意机会，看起来十分诱惑人，是一本万利的投资。正当我考虑要不要投入之际，有一天，在飞往首府华盛顿的途中，隔着过道坐着一个联邦政府重要机构的首长，他的机构与我正在考虑的投资生意有密切的关系。刚巧我与他有私交，去华府上任前他是我的律师。

我向他解释投资的机会，同时也告诉他，我想把大部分的时间、才干用来服事基督。最后我问他，如果他处在我的地位会怎么做？他毫不犹疑地回答："我觉得你正站在高山顶，这是你的试探。"

我问他是否很熟悉圣经，他说："不能算是。"不过，我知道他采用了圣经的一个真理。到了旅馆后，我立刻拿起床边的圣经，翻阅、搜寻这个真理。果然，我的朋友是说到《马太福音》，魔鬼向基督发出三个试探里的第二个试探，想要引诱耶稣做离奇的事，违反万有引力定律，证明上帝对他关爱到一个地步，他就可以违反自然律。魔鬼催促着说："把握这机会！把所有的禁忌和谨慎都抛诸脑后，这是千载难逢的机会！"

我正在考虑的投资生意，就违反了一些商业界的万有引力定律。如果成功的话，利润是相当可观的，但这是我完全不懂且与税务有关的生意。我内心的声音说："人生不是那么简单

的，去做那些你了解的生意吧！使用从经验中得来的知识吧！"

这是第二次了，一个并非特别热心的基督徒向我启示了人人都该知道的圣经深奥真理。我深信，只要我们多观察、心思敏锐，上帝可以借助各式各样的人给我们所需要的帮助。那位律师清楚看见对我来说还是雾里看花的真理。与他一席谈话，帮助我把方向盘再转回中心点及中心价值观，事实上我的确常被引诱离开那中心点。从华盛顿回来后，我拿起电话，取消了那笔生意。

如果是在人生上半场，我会认为很可惜地失去了一笔好生意。但在下半场，我却不以输赢的角度来看，而认为是一种超然的经历，我知道我是谁，为何活在世上，很高兴我就是我。

如果你想跟我一样，对损失有豁然的态度，可能你已经预备好要进入人生下半场了吧！

第十二章　留在场上，但调整策略

　　我离开一手掌管的事业那天，就是我下半场开幕的时候。你可能无法这样做，但仍然可以有下半场。

　　你进入中场时，对工作的感觉可能介于下面两者之间：一是"非常喜欢我的工作，不拿薪水也愿做下去"；一是"忍受不了我的工作，不论赚多少钱都不想再做下去了"。我相当的幸运，是属于第一类型，但我知道很多人属于第二类型。事实上我有个预感，很多人非常不喜欢自己的工作，那只是维持生活的工具而已。

　　我记得有一个年轻的推销员，没有固定薪水，完全靠佣金生活，如果东西卖不出去就没有一毛钱收入，每天挨家挨户地卖东西，专门卖些廉价物品、琐碎物品、小装饰品之类给杂货店或五金行。

　　但这推销员非常能干，居然可以卖到6位数字的进账——等于要卖一吨重的小装饰品！像大部分的推销员一样，他充满干劲，有高度热诚。事实上，他热诚得令我禁不住夸奖他一定非常喜欢做推销的工作。他回答说："我恨透了，但喜欢工作的报酬。"我听了不禁莞尔一笑，想起了我儿子罗斯常说的："我为工作而活，不是为活着而工作。"

对我而言，我的工作刚好是我喜欢做的事，而且带给我极大的满足感和不少的财富。没有任何事比提出一笔交易、商议细节及完成交易更能使我兴奋了。我热爱设计一套使交易成功的策略，也从中得到不少成就感。所以，决定把公司每天的运作交给别人去做，对我来说不是件容易的事。在某方面来说，我剥夺了自己从事业得来的喜悦。

有些人以为辞去了工作，所有的问题就会烟消云散。事实上，这就是为什么许多人仍停留在人生上半场的原因之一。他们厌倦了疲于奔命般的生活，但没有好好地琢磨如何成功地度过中年危机，就立刻跳槽、换工作或开创自己的公司，独立营业。

这些都不是坏事，但请你好好考虑，不要轻举妄动、鲁莽地辞职。人生下半场并不一定要这样。我认识有些人进入下半场蛮久了，仍然在做原来的工作，甚至做到拿金表奖（30 年的年资）呢！要有成功的下半场，关键不在于换工作，而是在于改变心态、改变世界观，和重新规划生活，可能换个新行业，也可能继续留在原来的工作岗位。大致来说，可能是在这二者之间。

地震测验

我来自德州，自然免不了学了一点关于石油业的事，不过，我绝对谈不上是个行家。我所学到的一点，就是不可随便出去找到一个地方就开始钻油井。如果想要减少风险，就必须先做一点地震测验：基本上是一种相当复杂的勘测地形的方法，要看看那块地能出产些什么。因为地表下的地质成分是个未知数，就需要一种电子仪器，从不同的角度，向所选中的地面发射出一种声纳似的电波。把从不同角度得到的图片拼凑起来，就可以大略地看出地质组成。

在人生下半场的地震测验，"地表下的地质组成"就是以后可以拿来重新规划人生的宝贵资料。现在你对未来想做什么的概念还模糊不清，只能从有限的角度来看，所以你应该去找6或8个可信赖的人，请教**他们**的意见。他们的"声纳"可以反映出你原来看不见的一部分图面，最后，原先模糊不清、仍为雏形的想法，就会变成清晰明确的画面，至少你就会知道该不该在那儿钻井。

你可能以为，一旦我确定了盒子里装的是什么之后，马上就把公司交给部属管理，走出公司大门，去找个新的但较易驯服的挑战来下手。即使我确定今后不愁吃穿，且有多余的钱可随便乱花，但如果照上述所说的去做，仍将是个巨大的错误。实际上，我先做了地震测验。我知道自己擅长人事管理，而且很喜欢那工作。我可以继续留在公司做这事，且有把握会成功，但我已尝过了成功的滋味，现在追求的是意义，想要做一些与我本性及上帝的国度更相近的事。我认为有线电视公司无法成为我人生意义的主要来源。

我的参谋迈克·卡米也有同样的看法。他简单明了地建议我："把公司卖掉，然后把钱投资在你提到的服事上帝的计划上。"但那时我心里还没准备好那样做。

我坐在那儿，被这个决定可能带来的后果吓呆了。玲达的惊愕也不下于我。我几乎可以看见典型传道人、传教士、修道

士的形象从她脑海闪过。我们会成为热心的慈善家，不断把钱捐出去，直到一文不名吗？我们需要穿传道人那样寒酸的衣服吗？我们所熟悉且喜欢的生活，一瞬间就彻底结束得无影无踪吗？

幸好我做了一点地震测验，去请教了两位基督徒领袖：加州巴罗阿图（Palo Alto）的雷·斯德曼（Ray Steadman）牧师，以及名作家兼"爱家机构"的创办人詹姆斯·杜布森（James Dobson）。他们分别提醒我："如果卖掉你的公司，就会失去你的身价，别人就不会再回你的电话。"很明显摆在我面前的是，在做任何大计划之前，必须先确定我的人生要如何走。

于是，我邀请了一些信任的辅导，包括佛烈德·史密斯（Fred Smith Sr.），保罗·罗宾斯（Paul Robbins），和《今日基督教杂志》（Christianity Today）的哈洛德·米拉（Harold Myra）。我对整个美国基督教会的情况很有负担，而他们几位对这方面有全面、深刻的了解。他们晓得我喜欢人事组织及管理的事，也想要把一大部分的时间投入上帝国度的事工。我请问他们："我这样的性向和背景，能在哪些方面服事主？"

他们提到一种新兴、大型、想尝试走出传统的教会，就建议说："也许你对他们会有些帮助。"于是，我邀请了一些牧师来座谈，请保罗主持整个讨论会，由他问一些问题，我则坐在一旁倾听。

在地震测验中，倾听是很重要的部分，它能帮助你发觉可把才干用在哪些方面。我了解到这些牧师认为什么是对他们有帮助的事。于是，我继续做地震测验，特别邀请了一些大型独立教会的主任牧师来商讨。最后，这些牧师把认为对他们有帮助的结论归纳成三点，而我则看见上帝对我在下半场的呼召渐渐成形。

这个地震测验的结果，促使我发展一个联络网和辅助系统，专门帮助一些大型独立教会的牧师。这些大教会的牧师也没什么特别，只是在上帝的带领和安排下，我对人事组织的兴趣刚好配合了他们教会的需要，就想了解他们教会里正在发生的人事机动性。如果上帝把我造成另一类型的人，很可能我会与一些差会、宣教机构或乡村的小型教会配搭事奉。如果当初和迈克·卡米谈完之后，我贸然投入第一个教会形态的事奉机会，就很可能不会找到与我性向如此相近的事奉。

成功的地震测验需要有两个重要关键。第一是要认识自己是谁，第二是征求可靠辅导的意见。当我向两位朋友请教时，我问他们："我能做哪些对上帝的事工有用的事？"他们却反问说："你的性向和才干是什么？"对任何一个将进入下半场的人，这是个非常重要的问题，因为你无法用上帝没有给你的才干服事他。

假如你因不常传福音给别人而觉得内疚，当你人生下半场来临时，就很容易决定立即辞了工作去做传道人或宣教士；但比较好的方法是，在做这个决定前，先好好地认识自己，接受自己，诚实地评估自己的才干和能力。传福音是我的属灵恩赐吗？如果在这方面你做得很好且喜欢做，在报名进入神学院或去非洲传道前，先做一点地震测验：协助你的牧师去拜访一些对福音有兴趣的人，或参加短期海外宣教队。如果这些短短的经历带来好的反应，然后再走下一步。如果反应是负面的，就

不应再继续朝那方向走，这会省了你不少的麻烦。

低成本的探测

有个与我年纪相仿的朋友，也是刚刚好到了人生中场，他意识到上帝是他人生的中心和动力，想要找个途径把自己的领导才干用在上帝的事工上。就在那个节骨眼，一个价值20亿美元，高利润、国际性的公司请他去当总经理。这家公司的分公司分散在世界各地，东到泰国、西到欧洲，是个相当艰巨且具挑战性的工作，必须全身投入，却是个名利双收的职位，年薪100万美元，是商业界人士竭力争取、愿为之鞠躬尽瘁的职位。

但是如果要接受这份工作，至少必须签5年合约，而他则希望把5年用在上帝的国度里。

他也考虑过去念神学，所以带了两个选择来找我：高级财富班还是初级解经班？他已经决定盒子里装的是上帝，但不知道该进入全职的神职工作，还是其他的事奉。

我告诉他别去想神学院的事，接受那个总经理的工作，且开始做些低成本的探测工作。在我看来，他没有选择的余地：如果去念神学，3年后毕业出来，就是个过了50岁、半路出家的传道人，或许可以在大一点的教会谋得副牧师的职位，55岁的时候可能在一间勉强维持下来的教会做主任牧师。我的朋友果真认为，上帝在企业管理和行政领导上让他历练了25年后，就是叫他去牧养一个中型、为存续而挣扎的教会吗？

这并非意味着我的朋友要收回他对上帝的奉献。低成本探测，就是实际去探究你想在下半场投入的事业。例如我的朋友应该继续留在国际性企业中，试着开始一个总经理家庭查经小组，打些电话，送些传真，登些广告，看看是否有这个需要，以及他适不适合做这工作。如果他真的觉得有必要离开他的事业，进入全职的传道工作，就可以考虑做基督教机构的顾问，如果情况许可的话，可做一些为公众谋福的工作。

邀请一些牧师来会商，也是我的低成本探测的另一个例子。我已先做了地震测验：请教可信的辅导，他们帮助我指出了一条正确的方向，但我没有立刻全身投入。如果我与牧师们第一次的会谈不成功，我所花的时间和金钱是有限的，可以再去试别的方面。

采用低成本探测的目的，是试着把你的才干、能力与上帝的事工和教会的需要配合起来，得到一些第一手的经验。商业界一直都在做这件事，例如市场研究、产品试验、导航计划等等。人生快要进入下半场时，为什么不做这样的探测呢？就是因为他们仍然在用与上半场同样的方法处理事情：全速、全力以赴。请记住：关于下半场的决定是十分重要的，不只是另一次投资或买卖。所以，请减速，小心谨慎地考虑，先试试水温之后再跳下去。

半速的选择

或许你真的喜欢现在的工作，老实说，也需要这份工作，需要有固定的收入、健康保险及退休金带来的安全感，也喜欢职位带给你的高贵身份，乐于做公司销售部的经理。处于你这

种情形的人，能有很有意义的下半场吗？

事实上，很多人都处在这样的情形下，如果再加上那些并非真正喜欢自己的工作，却又没有其他路可走的人，数目可还真不少呢！

好消息就是，处在这种情形的人，同样可以有比上半场更好的下半场。我们该承认，在一个工作做了二三十年后，就一定能做的很纯熟了；已学会了分配工作，认识了一批人，知道工作行情，有一批好客户的名单，知道不需用百米冲刺的速度就可把一天的工作做完。

如果你诚实面对自己，就可用以往减半的速度把工作做好。我的一个律师朋友就是这么做。他是一个著名律师事务所的资深合伙人，专门替美国最有势力、最有名的人处理业务，他热爱这工作且达到世界级水准，却觉得人生不应只是从事一些巨额的交易，好像还缺少点什么。他想做点下半场的事，但又不想离开自己一手创办的事业。后来他想到，可以继续留在公司，把一半的时间拿出来投身在州立学校，做个非常有意义的企划案。现在有人问到他的职业时，他就用半开玩笑的口吻回答说："我在尽力让律师同僚相信，我仍在做律师。"他把过去投入事业的一半时间和精力，投入新的下半场的承诺。

我另一个朋友是公立学校老师，他是全州最优秀的科学教师，离退休年龄不远了，可是他也想追求一些下半场的愿望，其中一个目标就是用他的行政才干来协助处理教会里的事务。年轻时，他与我的律师朋友一样冲锋陷阵，每天工作16小时，不断充实自己，渴望爬到事业高峰。两人都喜爱自己的工作，不想离开现职，现在只要用一半的时间就可做好工作，剩下来一半的精力和时间，就可用来实现他们下半场的心愿。

　　所以，不论我们的职业或职位是什么——百万富翁、总经理、高薪律师或老师，每个人都能有个比上半场更好的下半场。重要的是，先要了解上帝赐给你的才干和性向，才能用那独特的才干来做事。

第十三章　重叠的曲线

关于成功，有一个似乎自相矛盾的说法；促使你成功的才干和方法，往往就是导致你离开成功的因素。

查理斯·汉第（Charles Handy）

世上每一件事似乎都企图使我们停留在原来的地方，这就是为什么许多人一直卡在人生上半场，或是一直在中场挣扎的原因。已知而熟悉的生活令人觉得比较舒适，纵使我们相当肯定前面有更好的东西在等着我们。

拿以色列人做个例子吧！他们不停地提到上帝所应许的迦南美地，但就是无法一鼓作气地离开熟悉的埃及。不是因为埃及是多美好的地方，但至少是他们所熟悉、已成为家乡的地方。今天，上半场已成为许多人的家乡了。

我觉得很有意思，许多现代作家已发现，人将近中年时，对未来的不确定感常导致他们不敢任意妄动。威廉·布利基斯（Willian Bridges）称之为"中立区"；斯高特·贝克（Scott Peck）称之为"混乱的隧道"；珍妮特·哈格堡（Janet Hagberg）称之为"第四期：省思的力量"。不论称之为何，如果想要前往下半场的迦南美地，这是必须穿越的地方。

107 HALFTIME

许多人未能穿越这块领土，是因为苦于惧怕失去所熟悉的一切，也不敢面对未来的未知数所带来的迷惘、困惑。这可用下列图表显示出来：

看到未来的不确定，预知改变会带来痛苦、风险和迷惘，我们就不自觉地紧紧抓住现在已知的东西。未来看起来是那么的模糊不清、不可捉摸，完全不能与现有环境的舒适与确定相比。

下面这些真实问题带来的变数，更增加了我们的惧怕，以至裹足不前。

· 如何维持自己的生活？（财政安全感）

· 如何知道这个新想法行得通？听起来好像不太牢靠。（理智型的朋友好心相问）

· 发生了什么事？你不再是当年和我结婚的伴侣了。（关切牵挂的老伴）

· 爸爸！您到底要做什么？（忧心忡忡的孩子）

查理斯·汉第在他那本非常有益的好书《充满悖论的年岁》（The Age of Paradox）中，有一章讲到这个压力，章名叫做《斯格模德曲线》（The Sigmoid Curve）。他用我在本章开头引用的那个句子开始讨论这个问题。现在我再重复一次：
"关于成功，有一个似乎自相矛盾的说法：促使你成功的才干和方法，往往就是导致你离开成功的因素。"

汉第也提供了一个解决的方法：

"不断成长的秘诀，就是在第一个斯格模德曲线走下坡之前，开始一个新的曲线。开始第二个曲线最正确的时间是 A 点（下图），因为在 A 点有时间、资源和精力，可以在第一条曲线开始下降之前，帮助新的曲线渡过它起初的探索期和可能会产生的错误。"

斯格模德曲线（录自查理斯·汉第　《充满悖论的年岁》）

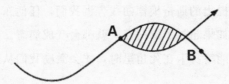

一般来说，大部分人的一生只有一条曲线，慢慢上升到中年期，然后急剧下降进入退休期。汉第建议，最好在第一条曲线还在上升的时候，就开始另一条新的曲线，最迟也要在第一条曲线下降前就开始。

理想的人生应该是由一系列重叠的曲线组成。我的事业就是由一连串重叠的曲线组成：

第一条曲线下降之前	开始第二条曲线
上学	做学徒
学徒生涯	正式工作
正式工作	做主管

人生下半场

做主管	事奉
事奉	领袖训练
领袖训练	协助、统合性事工

我们非常容易留在某一阶段而停滞不前。我认识有些跟我年纪差不多的人一辈子都在做学生，他们赢得学位就好像我收集电视台一样。另外有些人呢，则卡在工作的曲线上，曲线向下降了还不自知，在下半辈子不可能再有新曲线产生。

重要的是要学习享受你辛苦得来的成功，且从中得利，但不染上成功瘾，不超过曲线上的临界点，不走到发酸、发酵的地步。汉第提出的斯格模德曲线告诉我们，任何东西——纵使是最好的，如果超过了弯曲点，就都会变成病态。只有当我们醒悟自己可能终身卡在死角里时，才会激励我们从人生上半场逃出来。

进入下半场的一个重要关键，就像一个运动鞋公司所用的广告口号一般："动手去做！"（Just Do It!）但不只是这样，还要在正确的时刻动手去做，就是在第一条曲线开始走下坡之前动手。我知道很多人听到上帝鼓励他们走入更美下半场的微小轻柔声，但却对这劝告敬而远之。他们当然知道那声音是真的，但也知道如果照着去做，将会进入一个不熟悉、从未涉猎过的领域，所以心里琢磨着：**最好等我把现在的工作做完再说**。但当他们做完工作时，已经太迟了，他们太累了，上帝的声音也小到一个模糊不清的地步了。

彼得·德鲁克告诉我，以往人们认为退休的人是做义工的最佳人选，但事实证明并非如此：他们已把发动机关掉，失去

了冲力。彼得相信，如果一个人在 45 岁前没开始事业的第二春，或有个同时并行的服事，如果 55 岁前没有热心投入服事，那这一生就甭想了。

如果上帝正在对你说话，请不要找理由置若罔闻。我们总是可以找到留在原位的借口，只有信心能催促我们向前走。

第十四章　跃入深渊

想要世界成为什么样子，就自己先动手去做吧！

甘地

在我家书桌上摆着一个对我十分重要、木制的座右铭，上面写着既严肃又诙谐的话，严肃是因字面上的意思，诙谐则是因为取自一个名为《布鲁斯兄弟》的喜剧电影。座右铭上写着："为上帝办事去了。"

在这部电影中，丹·奥克罗（Dan Ackroyd）和已故的约翰·贝路希（John Belushi）饰演一对活宝兄弟，名叫杰克和艾尔屋。杰克跟他的兄弟说，他正在执行上帝所吩咐的差事。与他有点不同的是，我是为上帝办事；与他们相同之处是，在办事的过程中，我也愿意损失几部车子，而且现在我邀请你一起加入这冒险刺激的人生旅程。

走笔至此，我只讨论到为何计划一个更佳的下半场对你有益，因为它真的对你有好处。

在上半场大部分的时间，你可能也想把上帝放在盒子里，但总被别的东西挤了出去，我认为往往并非是你做错了，而是迫不得已。生活的压力加上年轻的个性，使我们很难了解圣经

的真理，然而若想了解个人价值的宝贵，就必须先了解且接受我们自己是何等的渺小。上半场着重在获得，但结果往往是失去；下半场则应着重在松手和放弃，但反而带来能力。人在26 岁时，通常是看不清这道理的。

有时候我不太敢讲自己的故事，我得到异于常人的特殊福气，不希望任何人认为只有富翁才能有更美的下半场。请记得我有个美好的下半场，不是因为我有钱，而是因为我做了这个困难的抉择，且把上帝放在盒子里。对我来说那是不容易的，对你也是不容易做到的。但那就是使我有迥然不同下半生的原因。

听我讲述的听众常问：是否有人不能有更好的下半场？换句话说，是否太迟了，不能有下半场了？只有中上阶层以上的人才有下半场吗？只有男人才有下半场吗？这是基督徒的专利吗？

我对这些问题做了很长且仔细的思考，结论是：任何一个厌倦了生活的人，都能把下半生改变得更好些，无一人例外。我承认对妇女所面对的一些特殊问题不甚了解，但不论是家庭主妇或职业妇女，只要到了一个地步，因而问自己说："人生不过如此吗？"我对她们的回答与男士一样："不是，前面有更好的东西在等着你呢！"

我相信还不是基督徒的朋友也能拥有更美好的人生下半场。事实上，我所阅读关于这方面的书，大部分可能都是非基督徒写的；就算是基督徒作者，他们也没有用基督教的术语或圣经专有名词。大部分作者同意，最终成功会失去它的魅力，意义才是人们真正追求的东西。非基督徒通常从公益事业得到人生意义，基督徒则有圣经的教训来定义他的公益事业。

现在只剩下一个问题了，那就是年龄。会不会太迟了，因而无法从上半场转换成下半场？60岁如何呢？70岁呢？80岁的人呢？只要我们一息尚存，就可以找到一个更好的下半场。存在主义作家卡缪发现一个真理："在雪花纷飞的严冬，我终于发现，在我的里面有个不可遏止的夏天。"我们发现在自己内心就有人生使命及指南针。达格·哈马斯基欧（Dag Hammarskjold）观察到："越专心聆听心中的声音，就越能听清楚周遭发出的声音。我不知是谁或什么力量把那个问题放在我心中，不知何时放的，也不记得几时回答的，但一旦我对那人或那物做了正面的回应，就肯定我的存在是有意义的。在自我降服之中，我的人生有了目标。"

我相信是上帝在我们心中轻柔地说话，把那个问题放在我们内心深处。一旦我们正面答复，他就立刻把已选择好的、要我们享受的人生意义启示给我们，揭开为我们存留已久的人生目标。我十分喜欢使徒保罗在《以弗所书》二章所写的：

> 我们原是他的工作，在基督耶稣里造成的，为要叫我们行善，就是上帝所预备叫我们行的。

在真正的足球赛中，不能从中场再回到上半场，但在人生球赛里可以，有些人也真的这么做。有些人则一直留在中场，长久挣扎着要找出新的球赛计划。还有一些人则尽力留在上半场，但不断地想进入下半场，一直做地震测验，从峭壁上探头观望，但从不跳下深谷。

现在就是该跃下的时刻了。

在第七章我劝读者要有耐心，现在又说不要太有耐心，希望你不认为我是自相矛盾。已经走了这么远的路，又回到上半场的球赛对策，那不是太可惜了吗？把上帝放在盒子里，且为上帝使用才干，我肯定你会有极多的收获。

那为什么我们还裹足不前呢？我从未尝试过高空跳伞，但可以想像站在高塔顶端，听见教师说"该纵身一跃"时心里的滋味。说实话，我把十字架放在盒里后，迈克·卡米就告诉我下一步该如何做，当时我知道，要从高塔顶端向下走，最令人兴奋的方法就是跳下去；另外一个方法，则是沿着梯子往下爬，回到原来安全且熟悉的环境。那一跳是令人心惊胆战、陌生又危险的，但保证我们有永难忘怀的经历。

我并不想跳，但知道是该跳的时候了。

我有预感，你也知道时候到了，容我用两个小故事来结束这一部分，其中一个故事的主角知道时候到了，但决定从楼梯走下来，另一个故事的主角则跳下去了。

吉姆对人生最大的渴望，就是爬到一个大公司的最高职位。他奋斗打拼，平步青云，短短几年间就成了达拉斯城一家大公司的总经理；但他的快乐很短暂，成为总经理不久，就被迫宣告公司破产。我常与吉姆见面，公司倒闭之后，他谈到想去教书或做些公益事业，我看见他一只脚踏进了中场，诚心想把人生做些重大的改变。但今天，他在另外一家大公司，更拼命地做高级主管的工作。

吉姆听到了那微小轻柔的声音说："时候到了！"但他没有听从，无法鼓起勇气跳下去。

　　杰克是个极为成功的企业家，有能力赚一辈子都用不完的财富，且爱好他的工作，但在接近中年的时候，觉察到一股想要从成功转向意义的欲望。地震测验和低成本探测都显示出他该进入上帝的事工，于是，他开始寻求可以使用自己的技术和才干的机会。经过一段时间后，他发现一些企业界的朋友希望把钱用在更有意义的事上，但因没有人替他们打听到合适的途径，这愿望就无法实现。于是杰克开了一家公司，专门替有心但没时间把金钱投资在有价值的事上的大公司或大富翁服务。杰克不断寻找新的、有意义的企划案，用客户所赚的钱来进行这些计划。捐款者从来不具名，但在有生之年，就可享受到把金钱用在有意义事上所得的喜乐。

　　杰克曾站在高空弹跳塔的跳板上，用信心跃入深渊，现在正过着有意义、美满的人生。

　　什么东西拦阻你裹足不前呢？

第三部
下半场

凭着信心朝着梦想的方向前进，尽力活出所憧憬的生活，就会在意想不到的时候遇到成功。它能使你跨越无法征服的障碍，崭新、充满宇宙、且更自由的定律，就会开始在心中和周遭成型，至终使你能飘然活在更高境界的自由自在中。

梭罗（Henry David Thoreau）

第十五章　人生使命

我真正缺乏的，不是该知道什么，而是清楚明白该做什么，最要紧的是了解自己，明白上帝真正要我做的是什么……找到我能为之生也为之死的理想。

齐克果

越接近中年，我就越发觉得时候到了，该更多探讨有永恒价值的事物和问题，而不是目前短暂的东西。发现上帝真正要我做的事之后，就觉得我的人生与上帝为我预备的人生蓝图有前所未有的和谐一致，深深觉得，靠着上帝的恩典和本身的勤奋，我可以达成自选的墓志铭：一百倍。

但仅仅想做有意义的事是不够的。如果不把这感觉应用在一个相关的目标上，把上帝放在盒子里所得的崭新决心就会退色消失。我相信大部分的人在上半场都充满着从中心信仰衍生出的好志愿，想做好父亲、丈夫、基督徒、好公民，想对国家社稷有所贡献，而你可能也达到了一些目标，但心中总觉得少了些什么；你在潜意识中渴望人生不仅成功且有意义，这些意愿并无法使之满足。

你有正确的直觉，但没有实现的方法。

　　近年来，许多商业公司及机构都制定了公司的宗旨、信条和理念，来说明公司存在的目的以及想达成的目标，如果宗旨写得好，就很简洁且一目了然。有几位顾问曾在《哈佛商业评论杂志》中说，公司的宗旨就是那公司的"北极磁铁及焦点"。公司一切的作业都朝着那方向进行。

　　制定个人的宗旨是十分有道理且必要的事，特别对在人生下半场的人更是重要。在上半场时，你没时间去想人生宗旨，或者你拥有的宗旨实际上是你任职公司的宗旨，并非你真正拥有的，或至少不像在下半场那样可以自行拟定一个。

　　若不知自己的人生使命，下半场就走不远。你能用一两句话写出你的人生使命吗？开始的最佳方法就是问一些问题，且坦诚地回答这些问题。你人生的最高理想是什么？有哪些成就？哪些杰出表现？有怎样的性向和才干？属于哪里？上半场时，有哪些"应该……"的思潮紧缠着你不放？这些问题及一些类似的问题会引导你找到心中渴望的"自我"，能帮助你找到上帝为你特别预备的事工。

　　《高效率者的七种习惯》（The Seven Habits of Highly Effective People）一书作者史提芬·柯威（Stephen R. Covey）建议，应该本着自己信仰及行动的价值体系和原则来制定个人的人生宗旨，且该着重于自己想成为何样的人、做何样的事。柯威写道："我们生命的中心就是我们安全感、引导、智慧和能力的来源。"

　　我个人的人生宗旨是非常简短的，你的人生宗旨或许较长些。安德鲁·卡内基（Andrew Carnegie）在 33 岁时立下他的人生宗旨，我也是在差不多的年纪写下我人生的 6 大目标。下面就是他写在日记中，指引他下半生的人生地图。

年 33，年薪 5 万美金，再过两年就可把所有事业安顿好，不用吹灰之力就可赚大钱，每年把多余之财用在公益事业上。申请就读牛津大学，得到完整的教育，结交一些文人朋友，这将要花费 3 年的努力，该特别着重演讲技巧。然后定居伦敦，购买报纸或杂志的大量股份，监督一般运作，参与社会公共事务，特别是有关教育和改善贫民方面的工作。人必须要有一个偶像，积聚财富是最差的偶像，没有任何偶像比拜金主义更低俗。无论做何事，我必全力以赴，所以必须小心选择那最能提升人格的生活方式。若继续花多一点时间沉溺于生意中，把大部分的思维沉迷在赚钱里，必会使我的人格贬低到万劫不复的地步。35 岁时，我就会从商界急流勇退，但在接下来的两年里，我希望每天下午接受训练，有系统地阅读书刊。

结果卡内基花了 30 年的时间，来实现他服务人群的愿望，而不是两年。虽然如此，他对人类的贡献至少是当初计划目标的一百倍。从第一个钢铁厂到 1920 年去世为止，卡内基把他一生财富的 90％用在公益事业上。

为了证明不是所有的人生宗旨都要像卡内基那样既长又详细，我就在此阐述我的人生宗旨。我认为自己是个策略经纪人，有本事找出问题的症结且解决问题，上帝造我如此，也用此法经营我的有线电视公司，所以我的人生使命就顺理成章地与此角色有关。我的人生使命是：**把美国基督徒的潜在能力转换成积极活跃的力量。**

这就是我目前的工作，希望这样使用我的余生，活出我自己，用上帝赐我的才干，不用模仿别人或强迫自己做不自在的事。如果人生宗旨适合你的性向才干，那就是正确的人生宗旨。如果勉强你做不合适的角色，那就是别人的人生宗旨。

我们一生的承诺必须与人生宗旨一致。转入下半场的一个结果，是我不再绕着各种目标组织自己的人生，而是做些一生的承诺。这些承诺也能帮助我专心致志地关注在人生使命上，我现在分享这些承诺，不是因为它们有多深奥或了不起，而是想鼓励你制定一些适合自己人生使命的承诺。

1. 基督耶稣是我人生至高的效忠对象。我承诺要把自己的才干完全用在上帝的事工上。

2. 我承诺要有个琴瑟和鸣的婚姻，直至死亡把我与妻子暂时分开。

3. 我承诺把大部分的时间和金钱用在发展一系列同时进行的事工上，帮助美国的基督徒把潜力发挥出来。

4. 我承诺要有效地管理上帝托付给我的一切资源。

5. 我承诺做 10 个人的好朋友。

6. 我承诺在人生下半场有个复兴。

7. 我承诺要实践力行"利他的个人主义"（就是助人为快乐之本。这个主义表示我的本性是要追求个人利益，而博得他人的好感就是最大的收获）

下面是帮助你决定人生下半场使命的最后窍门。彼得·德鲁克建议说，下面的两个问题能帮助你了解，上帝已为你预备了一个独特的角色：

1. 你有哪些成就？（才干）
2. 你对哪些事有很强的责任感？（憧憬）

我们的目的是找到能符合这两个问题的答案，是你擅长且真正喜爱的工作。你可能擅长与人合作，但又渴望独处，如果只顾到前者，后者就会提出抗议。如果细细地省察内心，且坦诚地把自己的才干和性向配合起来，就能找到最适合你的人生使命。

迪克·波利斯（Dick Bolles）所著的《你的降落伞是什么颜色？》（What Color Is Your Parachute?）一书将是帮助你找到人生使命的极佳参考书。他是圣公会按立的牧师，被旧金山的教会辞退后，开始了他的降落伞旅途，在当时看来是相当悲惨的事，结果却成了他一生最好的事。自从这本书第一版问世以来，波利斯不断地翻新及修改内容，最近的一版增加了一篇：《如何找到人生使命》。

今天，明天，或最迟下个周末之前，请抽出一点时间，拿着笔和纸（可能要几张纸），列出你想在下半场做的事、你的承诺、一些反映"真我"的口号和信念，以及把你的信仰和下半生想做的事结合起来的句子。

写完之后，花些时间祷告，反复阅读所写的内容，安静思想、侧耳倾听。把所写的向配偶及几个知心朋友分享。然后把这些纸张放在抽屉里，继续祷告，聆听上帝的声音。想想什么是你最爱做的，让这些思潮像海中平缓的涟漪，在心灵里荡漾

人生下半场

着。这是你在上半场无法抽空做的，好好地享受它吧！

一二星期之后，拿出一张白纸，把这几个字写在最上面：

我的人生使命

我想你应该知道下一步该怎么做了。

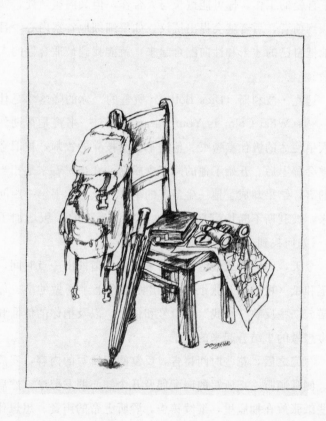

第十六章　再度驾驭

若不知如何驾驭工作和闲暇时间，它就会令你失望。

米哈利·齐克沈米哈夷

我有一个曾任大出版社总裁的朋友，有一次去拜访国际知名的禅宗大师。大师听完了他了不起的事业后，没有什么特别的反应。他也只好静坐不言。过了一阵子，大师开始把茶倒入美丽的东方式茶杯里，但大师不断倒茶，甚至茶水溢出了茶杯，流向我朋友坐着的草席。大惑不解的他请教大师所做有何意义，大师回答说：

"你的生活宛如茶杯，装满了东西，没有空间接受任何新的东西。你需要把一些倒出去，不是再装更多的东西进来。"

我们每人手中都拥有二种资本：经济资本和社会资本。经济资本是用工作赚来的金钱和时间，大多用在生活所需和奢华的享受上。社会资本则是可以拿来回馈社会的时间、金钱和知识。

大部分的人认为花钱是为寻得快乐，但社会资本基本的概念是，上帝赐给每人不同的时间、才干和财富，为的是可以投资在荣神益人的事上，正如圣经所说的，人生最大且是第一条

的诫命:"要爱主你的上帝……要爱人如己。"

社会资本投资的报偿就是幸福的人生,这不该令人惊讶,因为主耶稣的教训中最真实、最务实的一条就是"施比受更有福"。如果当年杰佛逊(Thomas Jefferson)在拟独立宣言时,将之改写成"人生最高尚的是生命、自由和追寻幸福(非快乐)",美国社会将有何等大的改变哪!

有效的中场和下半场主要的目的之一,就是制造空间。回想本章开头的故事,我人生的杯也是满得溢出来了,我需要制造一些空间,夺回大部分的时间,把一部分财富投资到社会公益事上,把经济资本转换成社会资本。

如果你注意到共同基金市场的动向,就不会对彼得·林奇(Peter Lynch)陌生。彼得是把经济资本转换成社会资本的极佳典范。身为富达投资公司麦哲伦基金的代理商经理,在公司最高峰的 13 年间,把资金从 2000 万元增值到 140 亿元。他拥有高薪的职位、幸福家庭及做慈善事业而获得的满足感。但在46 岁时,他决定在工作时数上定个限度,好让自己能更多掌握人生。

林奇领悟到一个你我迟早都会领悟的真理:**不能再这样生活下去**。他所做的事并非坏事,相反的,都是好事,但他解释说:"对我而言,这些好像巧克力,吃多了就会胃痛。"现在每天早上,他先送孩子出门上学,8 点才去上班,一星期工作 4天(两天替富达公司工作,两天做慈善事业),星期一则完全保留给妻子。

大部分在上半场的人,都成为离心力的受害者。在他们生活周围有许多需要关照的事:家庭、工作、社区活动(俱乐部、学校等）、教会、专业发展、娱乐活动、副业或嗜好。刚开始的时候有心顾及每一方面，但若要达成这目的，就必须有快速的人生步调。不久之后，生活转盘的离心力就把他们摔到圆圈的边缘，与他们的自我越离越远，那时，就失去了控制。

下半场就是要重新拾回对生活的驾驭，做你决定要做的事。你以为彼得·林奇告诉富达公司同事，他不再替他们管理利润最高、最热门的资金，这是件容易的事吗？他之所以能做到，是因为知道如果失去对事业生活的掌握，终有一天会严重损及人生其他重要的层面。

若想回到中心，必须换到低档，减缓步调。等回到中心，知道自己是谁、盒子里装的是什么之后，就能接受一个事实：不该花那么多心思去注意那些在边缘上的事物，有些东西比其他的更重要，有些东西甚至可以置之不理。不论你决定哪些东西重要、哪些东西该摒除，最重要的一点就是：不再让别人来替我们做主。我们要为真正重要的东西制造空间。

如果这说法听起来偏激，与一般想法不同，那可能因为我们是能够选择在下半场做什么的第一代吧！你的父母可能与我岳父相似，在一国际石油供应公司担任高级主管直到退休，不能中途辞职，因为需要医疗保险，以及在大型、阶层制的公司长期服务所得的退休福利。大多数我们父母辈的人都从事查理斯·汉第所谓的"薪水型职业"，全时间地在相当有规模、提供良好福利的公司中，从事领薪水的工作。

将来，情势可能就不同了。报纸每天报道大公司裁员的消息，蓝、白领阶层皆无一幸免。"缩减编制"、"正确编制"和"重新编制"是企业界现今最流行的口号。目前发展迅速的公

司都只有低于 100 位的员工，而发展最快的公司往往只有 20 位不到的员工。彼得·德鲁克认为这些小公司发展迅速的主要原因，正因他们是自己的主人，能照自己的决定去做。

查理斯·汉第在他所著的《不理性的时代》（The Age of Unreason）一书中断言，今后人们只会花一半的时间在薪水型公司工作，另一半时间则花在他所谓的"代理商型职业"，就是替不同的公司做部分时间、短期的、顾问型的工作。举个例子，我的有线电视公司在两年之内拓建了 4500 英里的有线电视，差不多都是包给小包商去获得经销权，设立整个系统、铺设电缆、招揽订户，以及安装有线电视。

这些趋势使得想要有个有意义下半场的人，更可能在生活及工作上做些改变，比以前有更多的自由选择工作，可以减少一些与工作相关，迫使他们必须全时间、全速进行的事。

可是，有成果的下半场不是单靠减缓脚步或掌握作息就可得到的，它与我们的心态有关，需要有一具内心的罗盘，专注于界定真实自我的成份。心理学家米哈利·齐克沈米哈夷（Mihal Csikszentmihalyi）花了 25 年的时间、研究让人们快乐的原因。他发现快乐不是自然发生的事，与金钱、权力或物质享受无关，因为无论在富人或穷人、有权势者或无名小卒中，都可找到快乐的人。齐克沈米哈夷说："能掌握内在经历的人，才能决定自己的人生品质，这也最接近我们所向往的快乐。"

我不知齐克沈米哈夷先生是否为基督徒，但基督徒的信仰与他的发现有许多雷同之处。主耶稣教导我们要像孩童般毫无牵挂，不要担忧，不要被需要和财物挟制，不要被许多主人控制。使徒保罗在写给罗马教会的书信中解释，若想拥有丰富欢畅的人生，掌握内心是必要的：

因为随从肉体的人体贴肉体的事，随从圣灵的人体贴圣灵的事。体贴肉体的，就是死；体贴圣灵的，乃是生命、平安。

但是，颇具讽刺意味的是，教会反而成了捆绑许多上半场族的主人。服事上帝该带来的喜乐常与我们擦身而过，因为我们替教会做的事，许多时候都出于义务心理。主要的原因是，在上半场时，我们还不认识自己，不知自己真正喜欢做什么，还没学到只要发自内心、甘心情愿的去做，最不吸引人的工作也会成为释放我们、令人振奋的经历。对大部分人来说，在教会的服事不是美味可口的冰淇淋，反而是像童年时母亲硬逼我们吃的青菜般的苦涩。

一旦发现了人生使命后，就能更佳地掌握有心去做的服事。例如，不用再拖着沉重的步伐去参加周末的见证会，而可以邀请工作同仁星期一晚上来家中打桥牌，让你信心的见证很自然地在交谈中流露出来。这样，你便能再次驾驭人生，把想服事上帝的欲望、对桥牌的喜好和想与志同道合的朋友共度美好夜晚的需要结合起来。

有一些教会已开始把弟兄姊妹的责任（憧憬）和才干配合起来，这是令人鼓舞之举。畅销书《心灵的习性》（Habits of the Heart）作者之一罗拔·贝拉（Robert Bellah）称这种作风为"中介型机构"的功能。许多教会增加了"义工资源主任"或"配搭小组"的职位，帮助弟兄姊妹通过教会，把他们的专长用在增进活力的事工上。举例来看，达拉斯的公园城市长老

会，最近开创了"配搭计划"，已发展了 2500 多个不同的服事机会；芝加哥市郊的柳溪社区教会发展了称为"关系网"的计划（美国许多教会也在采用），帮助弟兄姊妹了解自己的才干、恩赐，且安插在最适合的服事上。加州差传威何市的马鞍峰教会也帮助弟兄姊妹找到自己的**属灵恩赐、人生憧憬、最高理想、才干、性向、经历**。

如果在下半场的基督徒想让自己的人生使命实现，就需要更多的教会接纳这种做法，使弟兄姊妹参与服事。我自己的事工（"领袖关系网"），就有一组同工专门建立"领袖训练关系网"，为教会的义工资源主任做 5 天的训练。

实际运作

再度掌握人生听起来容易，但做起来并不那么简单。纵使有了崭新的人生观，但一些旧习仍然难改。下面是我为了能再次掌握人生而做的一些事。

1. **分配工作**。无论在**办公室、游玩**或**家里**，一个人都不能包揽一切，也不该尽力这么做。凡是在下半场，以半速维持原来工作的人，这是特别重要的一点。要更机敏地工作，不是更辛苦地工作。

2. **做最擅长的事，放掉其他的事**。我的专长是眺望前景，不太喜欢实际运作，虽然我可以做例行操作，以前也真做过，但现在放手给别人做了。运用你的长处吧！

3. **知道何时说"不"，适度推辞工作**。你越成功，就会有越多人来找你帮忙。不要让人说服你去做不愿做或没时间做的事，因为那将会成为苦差事。该追求你的人生使命，不是别人的。

4. **定个限度。**如果目前你每天要见 4 个客户或部属，就减少到 2 个或 3 个。如果平均每天加班 1 小时，现在就要准时下班。原本 1 年要出公差 12 次，就把它减少到 6 至 8 次。把时间转移到你的人生使命、人生最重要的事上。

5. **把个人时间写在日历上。**我很喜欢肯·布兰恰德（Ken Blanchard）的建议：徐缓地开始一天。如果每天有晨更，就比较能掌握人生。晨更不仅是祷告和读圣经，也要有一点时间静思，省察自己的人生是否均衡。对我来说，若要想掌握人生，这可能是最要紧的活动。

6. **与你喜欢的人共事。**我有个朋友，名叫卡萝·艾默利（Karol Emmerich），一年前辞去戴顿赫德逊公司（Dayton Hudson）财务经理的工作，她说："我要去找一群我喜欢的人，合作从事公益事业。在人生下半场，我要与帮我充电的人合作，不跟消耗我精力的人工作。"

7. **定进度表。**你的人生使命是非常重要的，所以该得到你的关注。如果不替下半场的梦想定个进度表，它很快就会成为永不实现的幻想。

8. **简化生活。**梭罗搬到华尔腾湖（Walden Pond）畔的木屋后，就把生活中一些不重要的东西删除了。试想：拥有一艘游艇、一栋别墅、两三辆轿车或俱乐部会员资格，要花费多少时间和精力啊！这些东西本身并不坏，事实上是为了增加生活的情趣，但他们很容易就成为你的主宰。我认识一些拥有游艇的人，其中大部分都觉得必须要常用游艇才算值。我也认识

一些人，并不很喜欢在高尔夫球场花4小时打球，但因身为会员，不得不如此做。如果这些事使你无法重新掌握人生，那就忍痛割爱吧！

9. **有点娱乐。**不是那种不正当的娱乐，而是要让你学习谁在掌管每天的活动。找一个周间的下午出办公室去打垒球，或不去教会开会而带太太去看电影，这类事可以提醒你谁是主人。在下半场，娱乐是个重要的活动，重点不在于需花费许多时间，而是在于它的重要性。

10. **拔掉电话线。**未必得真的这么做（至少不是整天拔掉），而是学习高雅地与人避不见面。当我有事打电话时，并不喜欢对答录机说话，但我自己一定会装答录机，它使我能控制与谁讲话、何时讲话。移动电话是很妙的东西，需要找人的时候就用它，不需要时就关掉，不让人来打扰。除非你是值班的脑神经外科医生，否则我认为不该让别人知道你24小时的行踪。

在彼得·德鲁克高明的指导下，我也学习到引导我在"领袖关系网"工作的3项重要原则，这也帮助我掌握人生：

1. **以健康及长处为工作的起点。**这与慈善公益心似乎全然违背，因为慈善事业都是帮助弱小无助的人。但帮助健康的人发展他们的长处，能够培养独立自主性，而不是依赖性。

2. **只为接纳你观点的人工作。**我们一生的光阴有限，说服别人做他们不想做的事，比帮助人产生或实现他自己的想法，要多花4倍的时间和精力。

3. **选择成功之后能够产生重大影响的事。**

单有内心的渴望，不能让你在下半场做出什么新事；你必须要真的抽出时间来做。若你被许多消耗时间和精力的活动挟制住，就会继续活在梦想和愿望不能实现的挫折感里。但也请了解，目前你正处于不熟悉的领域中，要多练习才能得心应手。但是，至终你必能再度驾驭自己的人生。

第十七章　健全的个人主义

请我们欣然接受上帝造我们的本像，不要彼此嫉妒或傲视别人，也不要模仿别人。

尤金·毕德生（Eugene Peterson）

我知道许多人认为，把自己奉献给基督和教会，就需要放弃个人主义的想法和本质。他们认为基督徒或上教堂的人是没有主见、随声附和之人。事实上，在前一章你看到我鼓励人掌握自己的生活时，就可能已有点不敢苟同了，因为你了解到，顺服基督意味着"舍己"。

这是错误且危险的观念，基督教会其实是强调、鼓励、支持且赞许个人主义的。上帝把我们安放在他的身体里，施展我们个人的长处，且用其他肢体的长处来弥补我们的短处，就是所谓的"取长补短"。圣经没有教导我们做软弱、迂腐的门徒。使徒保罗鼓励提摩太做"刚强的人"，"将上帝借我按手所给你的恩赐，再如火挑旺起来，因为上帝赐给我们，不是胆怯的心，乃是刚强、仁爱、谨守的心"。保罗用以激励提摩太的形象是不辞艰辛的战士、正在接受训练的运动员，以及汗流浃背的农夫，都是强壮结实的大丈夫。

　　不赞同个人主义的人只传了半个福音。关于世人堕落的基本真理是合乎圣经教导的，但那只是福音的一半。若没有上帝的同在，人都是罪人，需要上帝的"奇异恩典"，但一旦披戴上帝的恩典而重生后，就成为灵命更新、有美好见证、生命有价值的人，能够爱自己，也能节制自己。

　　我在想，为什么许多基督徒接受"无我"的想法？可能是因为在社会里看到了太多不健全的个人主义，特别是雅皮士"唯我独尊"的病态个人主义，和 X 世代带有反讽意味的自我中心。这类的个人主义（其实并不局限于哪个族群），会导致自私的隔离、与人群疏远、贪婪、无情和内疚。主耶稣所说的"舍己"，我相信他是说舍掉那"唯我独尊"的病态自我崇拜，不是把他为我们所造的"独特真我"丢掉。

小我与大我

　　若追溯到源头的话，上半场的许多痛苦，都该归咎于沉溺于自我。所以下半场时，就需从自我中释放出来。上半场是小我，下半场是大我。上半场的自我是向内转的，从外圈旋入内圈，绕着自己越转越紧。下半场的自我是向外转的，从内圈旋向外圈，把缠得自己紧绷以至麻痹的弹簧朝外打开。

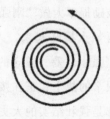

　　小我只包涵你自己，基本上是与人隔绝、孤独、病态的个人主义。大我与超然的意境相合，所以是健全的。超越自我使得自我能够行走，能走长远的路程且达到终点。

　　圣经记载了许多小我的故事，其中一个就是无知的财主。他有了不起的成就，财宝多到必须盖更大的仓库来容纳（我看他真是上半场族里的打拼专家，坐落在高级住宅区的豪华大厦也不够容纳他的玩具）。但主耶稣称他为无知的人：

　　今夜必要你的灵魂，你所预备的要归谁呢？凡为自己积财，在上帝面前却不富足的，也是这样。

　　这无知的财主是心胸狭窄的吝啬鬼，陷在小我中。

　　但圣经也充满了许多大我的形象：清楚认识自己及人生使命，能为弟兄舍命的人。那个好撒玛利亚人，他的大我能克服传统的束缚，做出超人的举动。施洗约翰坚持自己的价值观，为了崇高的理想，宁愿付出自己的生命。还有那个奉献两个小钱的穷寡妇，把养生的钱全摆上，因为她知道自己是谁，也知道盒子里放的是什么。

　　若你能分辨大我和小我，也同样能成为了不起的典范。牺牲小我，而得到更大的奖赏，就是主耶稣所言跟随他的代价——放弃紧缠着的自私自利，就能得到更大更好的东西。当人为比自己重要的理想而活时，就达到了最伟大、最尊贵、最高尚气节的境界。

团队中的一员

上帝刻意把我们创造成不完整的个体，小时候必须依靠父母，然后才逐渐长大成独立自主的青少年和成人。独立是很美妙的感觉，但它不是人生的最终阶段。我们必须超越独立达到相倚相助的阶段，领悟且接受事实：靠一己之力无法完成大事。

使徒保罗在《哥林多前书》清楚地表达此观念，他用了身体的比喻：

> 就如身子是一个，却有许多肢体；而且肢体虽多，仍是一个身子……设若脚说："我不是手，所以不属乎身子，"他不能因此就不属乎身子。设若耳说："我不是眼，所以不属乎身子，"他也不能因此就不属乎身子。若全身是眼，从哪里听声呢？若全身是耳，从哪里闻味呢？但如今，上帝随自己的意思，把肢体俱各安排在身上了。若都是一个肢体，身子在哪里呢？但如今肢体是多的，身子却是一个。眼不能对手说："我用不着你。"

我想不出一生中曾靠自己成就了什么了不起的事。圣经里讲的个人主义，是身为眼或脚的个人主义——是一个较大的、和谐整体的一部分。但在我们文化中肆虐的个人主义，却是自私的、上半场型的个人主义，着重个人的需要。下半场的个人主义，则是从与志同道合的朋友合作中得到力量。很久以前我就学习到，必须发挥我的专长和天赋才干，且与别人的长处互相配搭，才能使我的工作大功告成。

利他主义的自私性

几年前，我有幸听到当时世界知名"压力"专家的演讲。汉斯·赛理（Hans Selye）是加拿大籍的微生物专家，他创造了一个听起来自相矛盾的名词：利他的自我主义。听了他的解释，且从他的代表性名著《人生的压力》（The Stress of Life）中，我学习到，其实利他的自我主义就是圣经所说的助人助己的道理。赛理发现，凡是得到邻舍好感的人，在心理和生理上，都比那些自私贪婪的人健康得多。

赛理写到，得到邻舍好感的最佳方法，是直接或暗示性地问他："有什么我可以帮忙的地方吗？"如果可能的话，就真正地帮助他。我不知该怎么形容，但这件事对我来说是行得通的。我不知问这问题多少次了，但从没有人趁机来占我便宜，反而对方常因这罕见的、能让人占便宜的问题而愣住了。在大部分的情况中，我都能真正对人有些帮助，而常常都只花一点点金钱和时间而已。

很多年前，弗烈德·史密斯告诉我，身为基督徒，就必须把那些刚开始以义务及自律的心去做的事，练习到成为一种反射动作。问别人"有什么我可以帮忙的地方吗"？而且真正去帮忙，刚开始的时候，我是以义务的心去做，但做久了，就变成反射动作，毫不费力，做得相当自然。

举个例子，以前我与杰瑞·梅斯（Jerry Mays）同在一个

查经小组。他年轻时是堪萨斯州职业足球"酋长队"的后线球员，后来转业成为包商。他是个"温文儒雅的巨人"，用令人钦佩的勇气和尊严勇敢地与无情的癌症搏斗，我们亲眼看着他逐渐地衰弱。有一天，我送了他一尊羔羊与十字架的雕像，那是我所收藏的梵蒂冈珍物的仿制品。他的回信是我所收到最令人感动且鼓舞的信，他说他从我的行为看到了基督的形象。很明显地，那尊雕像将喜乐带入了杰瑞的生命中，但他的信带给我的却是不可言喻的喜乐。

这个活化"邻舍之爱"的举动会带给人实际、可感受得到的益处。让我们来看看发表在罗马天主教杂志《利古欧利恩》(Liguorian) 的文章吧！

医学研究者近期发现，有科学证据支持 2000 年前耶稣的教训：帮助别人就等于帮助自己。这听起来有些自相矛盾的说法，只有透过主耶稣的角度才能看出它的意义。科学家除了证明这自相矛盾的说法是真的之外，还进一步主张帮助别人对自己的健康有益……密西根大学的一项研究结果发现，定期抽时间做义工的人，能增进自己对人生的热爱，也增长自己的寿命。一些关于老化过程的研究也得到类似的结论……伊利诺大学研究压力的学者发现，觉得自己与别人息息相关的人，比较心平气和、不矜不躁……"给予"可以用不同的方式来表达，例如了解、同情、怜悯及服务等等。无论用何种形式，中心思想都是一样的：奉献自己就是付出爱，而爱是惟一在付出之后自己反而越发增多的礼物。

　　我看过一些报道，其中提到医生替有心理疾病的病人开处方时，要他们去做一些服务别人或善待别人的事，原因就是善待别人能使我们超脱自己的问题。我知道这是对的，因我有亲身经历。罗斯去世后的几个星期中，惟一能暂时缓解我哀痛的事，就是以全副精神去帮助别人，刻意花时间、精神去帮助别人，使我能稍微减缓自己的痛苦（像止痛药一般）。这就是为什么在人生下半场一定要有个理想和人生使命的原因，它不仅使你忙得忘记自己情绪的问题，更是开启通往大我之门的钥匙。

　　我深信能有个更美下半生的一个诀窍，就是对爱自己有正确的认识。上半场的胜利往往是孤单、无人分享的，因为它只属于自己。下半场之所以有意义，是因为把自己、才干、能力和财富"献出去"。当你跨入下半场时，请好好地注意自己。

　　下面有些路标，提醒你对个人主义有正确的看法：

健全的个人主义	不健全的个人主义
团队的一分子	高傲的独行侠
与上帝同行（享受上帝的丰盛）	没有上帝
运用自己的长处	运用自己的短处
能认错	陷在惭愧和内疚中
自我实现和社区生活	更多成功＝更多隔离
	＝离群索居

第十八章 活到老，学到老

在你一切所得之内，首要得智慧。

改写自《箴言》四章 7 节

离开学校之后，我才真正开始当学生。恐怕很多人都是这样吧！在高中或大学念书的时候，我们不是学生，而是客户；教育是达到目的的一种手段而已，提供我们在封闭的公司中做有用之人的工作证。职业广告鼓励孩子留在学校念书，以便将来进大学或找到好工作。我记不得曾在什么广告劝人留在学校读书，为的是能学习人生的意义，或欣赏古典文学的精辟见解。

我并非批评我们的教育制度，而是针对上半场的需要。我们要求它教我们如何工作、如何找职业、如何成功。它也帮我们达到大部分的目的，因它装备我们成为有用之人。直到中场时，我们才对教育有更进一步的要求，因为我们终于领悟到，好学不倦的心能使人生更丰盛欢畅，一旦停止学习，人生就变得狭窄。

有个朋友告诉我，有一次坐飞机时，他认识一个在大学读了 14 年的人，那人不是个追求学位的"职业学生"，不是为了

职业升迁而进修课程。高中毕业后，他一直是个机械师，后来被公司派到另一工厂去工作。几年下来，每天都把不同大小的钢铁盒子焊接起来，他也深以自己的工作为傲。有一天，他看到当地报纸刊登一个社区大学招生的广告，列出了一些课程，两三星期内就会开课。由于他生性喜欢户外活动，他就去选修了生物课，结果迷上了学习。现在除了英文之外，能说二国语言，拥有与英文学士同等学力的学识。另外，他也修一些有关物理、音乐、宗教和历史的课程。而他依然在焊接铁盒子。

我们也许会认为这家伙放任自己，活在不切实际的浮华中，但我却很钦佩他的好学精神。为什么学习一定要有实用目的呢？可否不是为了学位或工作机会才去学一种语言？可不可以单为了想说及阅读去学法文或德文，而不是因为自己必须到德国做生意才学习这些语言？那机械师已发觉了学习的乐趣，这是他在高中时没发现的，他是用下半场的态度去探索光辉的知识世界。

为什么"学习"在下半场是很重要的

有一些明显的理由告诉我们，为什么在下半场必须继续不断地学习。如果学习能帮助我们用正面而有益的态度接受改变，那应在下半场，学习就是不可或缺的。例如，在我短短的一生中，已看到美国从制定有色人种隔离政策，转变成规定学校必须接受固定名额的不同肤色学生。若非经由学习，否则无法接受这样的改变。

我一生经历过7种不同的事业，现在担任策略经纪人，而我的工作场所持续不断地在改变。若没有相当有系统的学习模式，或持续不断的学习，将无法达成我的人生使命。

在下半场需要学习的另一原因，是为了摒除"专业"的观念。大部分在上半场的人，只接受了自己本行的语言和运作的训练。会计员很懂税法，但对管理理论却一窍不通；神经外科医师已从手术刀进步到用激光或放射线来开刀，但如果需治疗枪伤，一时之间他可能还有点不知所措呢！下半场的任务比较全盘化，需要具有全方位知识的人来做。

该常常学习的另一个实际原因，是可以保持头脑清楚。据科学报道，"智力衰退"（非老人失忆症）并非"老化"过程中不可避免的现象。为了让老年人维持清楚的脑力，大部分老人科医生都使用"用进废退"的学说。我看过太多的男女，他们过了60岁以后，就不太用脑筋了。我拒绝那样做，也不希望读者落在那种景况中。早期我与84岁的彼得·德鲁克和法兰西丝·黑赛滨（Frances Hesselbein）在彼得·德鲁克非营利性管理基金会工作时，学习到"退休"之后仍能有个重要、充满活力且有用的黄金时光。

维持灵活头脑的重要，最具说服力的理由，就记载在《新约·路加福音》十一章24－26节，记载主耶稣赶走了污鬼之后说的话。我承认这并非学术性的解经。主耶稣说污鬼回到它原先离开的那人那里，"看见里面打扫干净"，有很大的空间，就去带了比它更恶的7个污鬼一起住进去。

主要的关键在于"空荡"，我有个不算太牵强附会的解释：若让脑子空着，使我们从下半场人生分心的事就会侵入。无论如何，脑子一定会装满一些东西的。若我经常看脱口秀、连续

剧、明星画刊等，现今不知将成了何种人，一想到这些，就不禁不寒而栗。为了保护心思意念不被那些非常容易吸收的低俗思想污染，我们必须孜孜不倦地学习良善而健康的东西。这也是为什么我认为读圣经是一生的学习里不可或缺之事。如果"吸收垃圾，制造垃圾"是真的，那反过来说也是真的！

下半场该学些什么

我们不可能为下半场定出课程表，但有个普遍原则可应用：只学习与你相关且愿实际去执行的东西，其他的只供娱乐和消磨时间而已。换句话说，若能学习对你最重要的课程，就会学得最好。

若以此原则为准绳，前面提及的机械师读书只为了消遣而已，因我不知道他如何使用所得的知识。这件事本身没有什么错，因为对某些人来说，学习的快乐就是他们终极的目的。有些人用十分无意义的事来做消遣，相较之下，学西班牙文算是相当好的事了。但若学习没有特殊的目标——无论清楚或不甚清楚的目标，最终你会认为学习只是为消磨时间而已。我建议你的学习可着重于能帮助你达成人生使命的东西，至于该包含哪些课程，则应抱着创造性及开放的态度。

举个例子，我选修艺术课程，常常买些便宜的画册，把名画的复制品剪下来，用大头针钉在软木板上，然后挂在衣橱门上，每天早晚换衣服时就能尽情欣赏。一有机会，就去参观博物馆或画廊；此外，我已收集了一些艺术品在家里。如果有人问我身为基督徒慈善家与学习艺术有何关联？我可能还不知该如何回答呢！充其量只能说，它证明我相信艺术能启发人的灵性。几世纪前一位日本学者说："伟大的艺术作品都能捕捉某个东西的精神。"我欣赏一幅画时，就被它所散发的美丽、力量或情感所感动，学习到关于自己、关于世界及人类的景况。对我来说，这就足够"允许"我把艺术纳入一生学习的目标里了。

我的服事大部分是绕着人的机制打转，所以我尽量把握机会参加有关企业、管理、领导者等方面的座谈会、研讨会、年会或是研究课程。同样地，你的下半场学习计划该包括正式的课堂学习和非正式的学习，学习项目则该帮助你的人生使命方面有些亲身经历。倘若你是律师，决定减少在事务所的工作时数，想对市区事工提供有利公益的法律咨商，那么就该去修一些关于非营利组织的法律事宜。倘若你是公立学校教师，在政府鼓励提早退休之际，申请了提早退休；若觉得上帝呼召你透过教会设立学习训练中心，你可能需要征召一些志工才能开办训练中心，借由访问营地慈善机构的主管人员，对你将有很大帮助，因为可以学习到志工的机动性。

很多进入下半场的人易犯的毛病是单凭热心。如果将来有一天，你因人生使命窒滞不前而心灰意冷，多半可能是尚未获取支持你梦想的必要知识和信息吧！

在下半场如何学习

从很多方面来看，你在下半场所做的每一件事都是一种学习的形式，因为学习就是采取一个志愿发掘的态度，所以该期

盼从你着手的每件事上有所学习，不要受限于固定的场合或形式。下面我列举一些对我和别人有益的学习方法，以便说明多样式的学习方法：

传统教室。不妨模仿前面所提的那位机械师。每隔一段时间，我就会去选修一些我有兴趣或对我的人生使命有关的课程，这对训练自己做有系统的学习绝对有帮助。在不惑之年进入学堂还有个好处，就是没有竞争的压力——已有了工作，就不用去计较成绩，能够专心学习；而在许多时候，你反而成为班上名列前茅的高材生呢！当然，你也可以旁听，不拿学分，就不用担心成绩。

多闻多问。这可能是我最常用的学习方式。逢人便问，有时候也不用问，只需开耳倾听周围的人讲什么。若你常出差，一定知道在飞机上能学到许多事（也可以与人建立关系）。

采用多种媒体。所有媒体都有自己的观点和立场。倘若你获得新闻的惟一来源是传统性媒体（无线电视、日报和新闻杂志），你所得的或许不是错误的消息，但可能是个稍有偏差的消息。可以试着收看具有国际视野的卫星电视节目，阅读不同类型的报章杂志，你可能不尽同意其中的观点，但这不就是学习的层面之一吗？

书籍。阅读大量且广泛的书籍：小说、非小说、基督教书刊或世俗刊物都可。组织个读书会，学习别人看书的观点和角度。每年秋季和春季，我都会去修一门古典文学的课程，与一群活到老、学到老的同好一起切磋琢磨。

录音带。这可能是我从上半场遗留下来的习惯，在更衣、开车或运动的空当可以"阅读"许多书。现在有些出版社也把他们的书籍、杂志制录音带，另外有些单位也出版了专家、学者的演讲录音，不妨去当地书店打听一下。

会议。参加安排妥当的会议，有时比在大学修一个学期的课获益更多。购买你无法参加的研讨议程的录音带，保留笔记和讲员发的讲义作为以后的参考。

访问相关人士。我很惊讶地发现，请求访问别人是相当容易的事。一旦他们知道你不是记者，大部分的人都很乐意给你几分钟的时间，但你必须先有准备，且不超过事先讲好的时间。有人说，只要用两通电话就可联络到地球上任何人，这是真的。

旅行。最佳的教育方式是旅行，读万卷书不如行万里路。我和玲达现在每年至少到另一个国家旅行一次，深入地观察当地的风俗民情。下半场族目前的新趋势，是做"有目的的旅游"，旅行可以包括对当地地理、宗教、政治、种族、艺术和音乐各方面综合起来的观察。

电视。你该猜到像我这样从事电视业的人，当然会鼓吹电视的好处啦！但我真心相信电视可以是学习的好管道。我每星期看电视周刊，把对我有用的节目圈起来，然后用录像机把这些节目录下来，以备有空时观看。以现在新的"信息高速公路"发展的趋势来看，电视将成为越来越有功效的学习工具。

小组学习。彼得·圣奇（Peter Senge）说："在现代机制中，学习的基本单位不是个人，而是小组。"当初上帝创造人类时，似乎就装置了一个控制器，防止我们的傲慢。学习和我们的其他方面一样，也需相倚相助。通常在我自己对一个问题思考了一阵子后，总要与别人有些切磋琢磨，才做最后决定，

因为在与别人讨论的过程中，常能找到整个画面中缺少的那几小块。

文明带来的一大悲剧，是孩童学习态度的改变。在学习过程的某些点，他们失去对学习的纯真渴望，变成了对获取知识的消极抗拒，也许这是无可避免的事。我的提议是，你可以重拾对学习的兴趣。在下半场渴慕学习，证明你能谦卑地承认自己不是万事通，愿虚心受教，承认"专家"只是个头衔或名位，不能代表"饱学之士或八斗之才。"在人生的下半场，请欣然在你尚不擅长的范畴做个业余者吧！

第十九章　尊重外界

所有的成果都呈现在外面，内心所有的只是所付出的心血和努力。

彼得·德鲁克

下半场族就好像巴松管手。

你不妨试着想想！离开了交响乐团，巴松管是不太能吸引人的。小喇叭手、钢琴家、小提琴手都可以独奏，但大致来说，巴松管手是不能独奏的。现有极稀少的几个巴松管独奏曲，也都必须与交响乐团或重奏乐团合奏才行。

倘若巴松管手不接受这个事实，他会气馁到罢吹的地步，或竭尽心思去引起大众对巴松管独奏的兴趣。可喜的是，巴松管手大多都能接受自己的人生命运，以特殊的低音带给听众美妙无穷的和声。

这个例子描绘出关于下半场族的两个重要事实。第一，我们有足够的安全感，可在团队中配搭。第二，我们领悟到尊重外界的必要，心平气和地接受那些我们无法改变但一直与我们同在的事物。

我的有线电视公司的经理团，每个月的研讨时间都把四分之一花在了解外在环境上：法律条文的改变、顾客对其他公司

价格的反应、文化的改变、新的科技发展和人口统计数字的改变。因为知道我们不能改变这些外在因素，所以就不浪费时间去找方法改变这些因素。这些外在因素可能是我们的转机，也可能是威胁。但有一件事是确定的：他们永远与我们同在。

在上半场冲锋陷阵中，我们没有学到这一点。风车一定是倾斜着旋转的，所以我们也必须跟着倾斜。上半场族往往死命攻击外在因素，或者否认外在因素的存在；但在魄力与顽固之间往往只有一线之隔。使你进入中场的原因之一，就是你觉悟到：一味地顶撞那些你无法控制的外在因素，并不能让你争取到半寸的土地。

在下半场，你学到不仅要接受外在环境，更要尊重它，因为只有借着尊重，你才能创造性地找到方法，把外在环境改变为你的转机。电脑软件霸王微软公司就是最佳的例子。没几年前，大家都想在电脑这一行分一杯羹、占一席地。一夕之间，电脑公司就如雨后春笋般冒出来，许多公司也确实赚了大钱。比尔·盖兹（Bill Gates）调查了一下行情，看见 IBM 像摩天大楼般蹿起，他知道 IBM 将永远是最大的公司，他有自知之明，能接受且尊重外在的情形，所以就聪明地不以自己微薄的力量去与巨无霸较量，而朝软件方面发展。后来发展的结果是有目共睹的，在此不用多说。谁会想到原先只有 IBM 十分之一价值的公司，有一天反而超过 IBM 的价值呢？当初如果比尔·盖兹决定在硬件方面硬与 IBM 打拼，今天又将是何种局面呢？

有时候外在环境产生的压力，大到可吞食我们的地步。这件事几乎发生在我身上。我介入了一个与我的理念与良心脱节的生意，为了与其他有线电视公司竞争，我的合伙人施压要我投放一些色情节目，他们说是"软性"色情节目，但对我而言却是三级色情片。我不愿与任何色情节目有关，自然遭到极大的压力。那时候，我们公司刚好濒临失败的危机，真是雪上加霜。播放色情片肯定能增加收视率，增加急需的收入，但我决意不同意如此做。那个决定为公司带来了极大的经济周转压力。

记得那件事发生之时，我正在教一班主日学，刚好教到《哥林多前书》十三章，老实说，我完全没有这首伟大的爱之诗所描述的感觉。我想我的感受一定在脸上表现出来了，因为后来班上的一个弟兄来对我说："你知道吗？我在韩战中驾驶战机时，才体会到你所描述的感受。你有没有想过，可能并不是'工作'让你有这种感觉，而是你现在所处的行业让你有这种感觉？"

他讲得完全正确。我需要做的事就是接受外在的事实：我不属于那一行，不适合做那行业。我可以一直反抗外界，直到离开世界的那天为止，但有些事情是绝不会改变的。于是1982年2月12日我离开了那行业，这也是我人生下半场开始的同一天，是一个极大的冒险，但我知道那是我该做的。

权威的角色

"没有权威的人生"，这个说法是无法成立的。你可以选择参加游戏或球赛的种类，但无法选择球赛的规则：若要打网球，就必须站在线后发球，且球一定要落在线内；若打篮球，

就必须在场上运球而不可带球跑。简单地说，选择了球赛的种类后，就必须遵守规则。无论你是否愿意，规则支配着你的行为；遵守规则，得胜的机会就大些；违反规则，就连打完一场球的机会都没有。

只有上半场的人才会说："规则存在的目的，就是让人去违反它。"人在力争上游，往事业阶梯向上爬时，往往想要跳级或抄捷径。对许多上半场族来说，服从上司就是懦弱的表现。统计数字证明，年轻人汽车保险费昂贵的原因，就是他们不服从交通规则，喜欢超速、冒险，骗自己说可不受任何权威的管束。上半场也用类似的态度面对人生。虽然明目张胆反叛的并不多，但许多上半场族认为，"请勿动手"的警告只是激发他们向权威挑战的请柬而已。

上半场族的问题是你需要工作来维生。你可能不喜欢自己的工作、不尊敬上司、不同意公司的做法及作风，但不能说走就走，至少不像说的那么容易：谁来付房租和伙食费？基本上而言，你被迫接受老板的权威，虽然心中存着十二万分的不愿意。一般来说，在下半场有较多的转圜空间，能够选择谁或什么事情来做你生活中的权威。但无论如何，生活中不会完全不受权威的管理，如果你盒子里装的是上帝，那么你已自动地选择了上帝做你的权威。

主耶稣基督的福音有一个听起来自相矛盾的地方，就是：越顺服基督的权柄，就越有彻底的自由；这是为什么下半场特别吸引我的原因。我看到许多二十多岁的年轻人极力地挣扎，要从困难的工作、痛苦的婚姻及其他不能改变的外在环境中挣脱出来。我不愿过那种生活，他们也不愿过。当生活难过到受不了的程度时，就会开始问中场的问题。一旦搞清楚盒子里装的是什么，才会醒悟到自己的挣扎是徒劳无功的。十字架的道路告诉我们世上最伟大、最令人回味、但又自相矛盾的道理：若要真自由，就必须臣服在上帝的权柄之下。

我希望这听起来不是在耍嘴皮子，或者是严厉的"说教口吻"。我晓得即使是最敬畏上帝的基督徒，也会遇到不公平的上司、乏味的工作、悖逆的儿女、难熬的婚姻及人生的许多难题。我不喜欢随口而出劝勉人"一切都交给上帝"，但我有把握说，一旦解决了上半场的问题，且决定把上帝放在盒子里，你就会有更多从上帝而来的恩典及自由，能够去面对那些难题。难题不会立刻消失殆尽，但你能比较理智地处理它们，从中学习，甚至把它们转变为达成人生使命的转机。

失去我儿子时，我已是个热心的基督徒，已把上帝放在盒子里，作为我最高的效忠对象，也开始了我的人生使命。但这一切都不能阻止一个可怕的外在事实发生：吞灭最优秀游泳选手的汹涌波涛。单要面对那残酷的损失就够艰辛了，但坦诚地说，若不是因为有信心，我就不能达到今天的成就。惟有尊重外在自然环境及上帝超自然的权柄，才能够在下半场自由地成长及服事上帝。

第二十章　全力以赴

要拣选生命，使你和你的后裔都得存活，且爱耶和华你的上帝，听从他的话，专靠他，因为他是你的生命，你的日子长久也在乎他。

有一个你可能不爱听的秘密：从上半场转到下半场不是容易的事，不是一星期、一个月或一年就能发生的，且二者之间的界线有时是模糊不清的。

但请不要让此事影响你的赛程。每当我讲述自己的故事时，总会担心有些人以为只要按照一套公式如法炮制，一切就会水到渠成、马到成功、但若公式行不通，就灰心气馁，顺着原先那一个曲线走下坡。

我在中场待了好几年，并全力以赴，一路下来，得到不少乐趣。你可能在开始时走错路，不过没关系，只要退回去，再做一些地震测验，或做另一种低成本探测。如前所述，要在前一条曲线下降之前开始新的曲线。

我有个朋友，一只脚踏在上半场，一只脚踏在下半场。他是全世界最大房地产公司的经理级合伙人之一。20 世纪 80 年代房地产大幅下跌，使他的财产骤减，所以他重新组织公司，

从资产增值公司转成服务性公司，培养新的管理人才，同时在政治及社会福利方面开始了一个平行的事业，担任一个大学的董事，且是尽职的主日学教师。我知道将来到了某一时刻，他将像我一样把这个平行事业变为主要事业，而把公司交给别人管理，但不是现在。所以他处在上半场，以全速建立公司；他在中场总结过去，且决定盒子里该放什么；他也处在下半场，把才干贡献在更高的理想中，也重新规划人生。他可能还需要同时处在这三个阶段一段时间，但我相信，他正全力打拼，而且拼得非常愉快。

请记住，下半场只是整个球赛的一部分，我们必须打完整场球赛。

有人问我一生中做过哪些牺牲。这个问题很难回答，因为我拥有人人羡慕的人生：和谐美满的婚姻，拥有很多闲暇时间得以做自己喜欢的事及成功的事业。我想，为了享有这些幸福，我必须放弃很多想要"做我想做之事"的时间。例如，在"耶稣区"之前，花很多时间焦虑，等待生意成功，承受生意上乏味的例行事务；在"耶稣区"之后，忍受乏味无趣的灵命训练过程。

我花了数不尽的时间检查公司的运作，给经理们时间表现才华，且倾听他们的问题和报告。当然，最好的消息就是最无挑战性的消息：一切运作正常。罗斯还在世的时候，我每天花15分钟倾听他诉说心事，用尽我所知的反射性倾听技巧，凝神贯注，跟着他的思路跑。15分钟听起来是个短时间，但是当你脑子里塞满了一堆"重要的事"时，你会疲乏得只想找个僻静的地方好好休息一下，那时15分钟就像一世纪那么久。

　　托马斯·墨顿（Thomas Merton）曾说，一个人真正所需的一切，都已经蕴含在自己的生命里了，他称这为"隐藏的完整"。他的意思是说，人并不需追逐外在的事物来满足自己。这是大部分上半场族所做的事，但最终都会发现，金钱、名誉、地位、物质及经验都不能满足我们。我们在下半场会成为怎样的人，早已在上半场投资下去了，它是不会凭空出现的。

　　以前我以为，如果把自己完全奉献给基督，就会成为与现在迥然不同的人：穿着廉价衣服、开着破老爷车，或骑着驴子在艾滋病肆虐的未开发国家，做我不喜欢的事。我并不是贬低那些适合做这些事的人，只是解释他们跟我不一样。我不明白，为什么上帝在把我装备成企业家、设计构想家、创业者、团队建立者、经理和领导后，却又把我送到一个完全无用武之地的位子去？后来，我高兴地发现，上帝从不浪费他已培植的基础。在上半场我是怎样的人，在下半场还是同一人，只是用在不同的管道上而已。

　　上帝创造了你之后，退后几步并赞叹说："这个很棒！"他在你心中种下了想与他联合的渴望，也提供了可以实现这渴望的管道。无论处在上半场、中场或下半场，上帝对你的要求就是：照着你的本性，用他赐给你的才干来服事他。

第二十一章　50/50 的提议

　　我以我的墓志铭"一百倍"作为本书的开场白，表示我希望后人以这样的形象纪念我——把天父种在我心中的种子增值为一百倍的人。

　　现在我要用另一个数学公式：50/50 来做结尾，表示我对一个跨进下半场之人的期望和梦想。

　　几个月前，犹太裔律师珊蒂·克丽丝（Sandy Kress）和基督徒企业家唐·威廉斯（Don Williams）商量，如何改进达拉斯城公立学校系统。学校已在考试成绩、聘请教师及其他技术性方面做了些改进，但就整体来看还缺了一环，就是伦理和价值观方面。珊蒂和唐挑选了一群来自不同阶层、不同文化背景的人，一起来琢磨这个棘手的问题，我有幸也是其中一员。最后，我们决定集中力量，从 6 个不同的方面着手，其中之一就是"50/50 的教会"。

　　"50/50 的教会"，基本观念就是鼓励达拉斯的教会，把奉献及资源的一半用在教会事工上，另一半则用在当地社区及世界的需要上。这听起来很简单的构想，对许多人及教会来说，却是相当骇人听闻的。大部分的教会觉得，若把时间、才干、精力及金钱的十分之一花在教会之外的事工，就已够大方的

了。但倘若每个教会采用50/50的想法，试想会对社区造成何等大的影响！如果你把时间和财富的一半花在自己和家人身上，另一半用在别人身上，试想对你会有何等的影响？

使下半场与上半场不同的一个重要改变是：在下半场，信心与生活的每一层面融合在一起，而不是隔离的。下半场让你学到利他性的个人主义是真实的原则，帮助别人就是帮助自己。你会有个活出主耶稣福音的均衡生活，见证基督徒生命的喜乐及魅力，是使人生更丰富而充实的生活，而非删减或空虚的生活。甚至自己和别人之间的界线也会不太容易划分，因为意义感已使成功感黯然失色，所以不用辛苦地处理人生不同的部分，你将是完整的人，怡然享受人生每一部分。

请观察下列两个相反的价值体系和态度，然后问自己：

在人生的下半场，你要站在哪一边？

疏离的生活	合群的生活
隐私、个人的信心	服事是人生的一部分
教条主义	丰富且多彩多姿
相信什么	在生活中活出信仰
信仰代表损失	信仰代表增加、丰富和完整
我们/他们	我们一起
分化你我	融合你我
单打	团队合作
独立	相互依存

律法	恩典
义务	自己的选择
靠外在方法	发自内心
看外表	看内心
独裁的领袖	谦卑的领袖
星期天的基督徒	全时间的基督徒
追求教义	追求目标

采取 50/50 策略的教会关心且服务当地的社区，活出所传讲的福音，而不是把不受欢迎的一套想法塞给别人；先用美好的行为见证上帝，再用言语传上帝的福音。50/50 的教会把信仰带回充满压力、冲突和似是而非价值观的社会，而不是在星期天早上把人隔离在不切实际、封闭的气氛中两小时。

我深知自己不是第一个建议教会要进入社会做有益之事的人，相信每个基督徒都思考过这个问题，真心想要看到主耶稣的福音改善社会。那么，这事为何尚未发生呢？

我相信答案在于每个人都该付起自己的责任。若基督徒没有表现出自己的责任，教会永远无法在社区里有广泛的功能。世人要看见我们的信仰，不仅是听到我们所传的信仰。若信仰只局限于个人，一星期只有一次在教会表达出来，基督徒就错过做世界之光、盐及荣耀上帝的机会。更糟的是，我深信如果信仰让我们只顾自己，我们就会成为贫乏、无趣、完全自我中心的人，生活就分割成工作生活、家庭生活、社区生活和教会生活。若人生被分割成许多不同的部分，每一部分都会有欲振乏力的感觉。

这与下半场有何关系？上半场的真正悲剧之一是，人被鼓励成自私的人。没有人真的想把事业放在家庭之前，但结果却是如此，想得到成功的欲望强烈得使大部分人无法抵挡。在30多岁那个阶段，大多数人实际上是活在一片模糊中，没有时间静下来思想那些使人生有意义的重要问题和价值观。我不知这是否无可避免，只知很多人落在这种景况中，且最终几乎陷入一段迷惘且缺乏自信的阶段，而问自己：**人生就是如此吗？我要让余下的光阴如此渡过吗？**

总有一天，你的上半场会结束，计时钟会响起。若不驻足停下来进入中场，检讨得失，重新规划人生，使下半场比上半场更好，上半场就会出其不意地结束，而你就会被迫加入得过且过之人的行列，干等着退休的到来，你的下半场将是上半场的慢动作，只有越来越少的成功，意义也不多。但若对下半场负起责任，好好思想，重新规划人生，就会经历到上帝为你预备的丰富人生！

我放眼观望全美国的教会情形，就看到一股正等待着开发的巨大潜力；看到足以改造文化的才干、创造力、怜悯心、金钱和力量；也看到社会的每一阶层都有真基督徒，切实关心自己社区的状况，却觉得无能为力，无法做一点事来改善社会。

我的人生使命就是把美国基督徒潜在、巨大的力量发掘出来；这听起来似乎有些不可能，但身为货真价实的下半场族，我不再认为这是难成之事。我真的相信自己能激发教会那股庞大而潜伏着的力量，却也意识到：单打独斗是成不了大事的。

在中场的某一时期，我曾把自己想像成圣火点燃者，喜欢在人心中点起火焰，然后坐下欣赏燃烧着的熊熊烈火。这个比喻不完全正确，因为我不喜欢只坐在那里袖手旁观。但我真的喜欢在别人心中点燃火花，也希望已在你心中点燃了一些，因为我相信，每个基督徒的心中，都有个火苗在燃烧着。

我希望你已感觉到那火苗的热度了，开始坐立不安，想要实现那雄心壮志了。

我希望在我描绘下半场时，你开始感觉到内心似被春风吹动，开始看见你可以成为何种火焰。

我盼望当那火苗开始燃烧时，你觉得跃跃欲试、充满活力，再度觉得年轻、干劲十足，开始憧憬新的梦想。

我盼望火焰扩展时，你会明白：这一次不能把火焰扑灭，这不是一时的冲动，而是威力十足的承诺。

我放眼观望全美的圣所、主日学教室及查经小组时，就看到这股力量，我知道同样的力量也蕴藏在你心中。

前面已提过，改善社会的关键就在于每个人负起自己的责任。我可以提供你获得有意义人生的有效、可行方案，但最终仍全视你自己选择要如何过生活。你有自由决定是否要让余下的光阴成为你人生的黄金时期。

我祈求天父，赐你勇气活出他放在你心中的梦想。

终场见！

致谢辞

在撰写此书及回顾人生之际，我发现一个宝贵的真理：我从未靠一己之力完成任何一件重要的事，总是要靠团队的合作。人有过分自信及自足的倾向，我想上帝一定觉得人喜欢独立作业的个性是很可笑的，这种个性可能源于雄厚财富、杰出的运作才能、家喻户晓的写作才干，或其他非凡的成就吧！上帝用不同的方法教导我们这些自满自足的人，要我们知道人都是需要相互依存的！

在所有关于相互依存的文章中，我认为使徒保罗在《罗马书》十二章所写的最了不起：

不要看自己过于所当看的，要照着上帝所分给各人信心的大小，看得合乎中道。正如我们一个身子上有好些肢体，肢体也不都是一样的用处，我们这许多人，在基督里成为一身，互相联络作肢体，也是如此，按我们所得的恩赐，各有不同。

本书及其中所要表达的人生理念，乃是团队合作的结晶，最大的功劳该归于 Zondervan 出版社。好几次我想停笔不写，他们却锲而不舍，三番两次地来我家，说服顽固的"作者"继

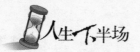

续奋斗下去。无论在布局及写作技巧上，他们都帮了我很多忙，让我学习如何用文字把我紊乱的思绪表达出来。在编辑润饰方面，他们也有不可磨灭的功劳。

为了不同的目的，我参与过不同的团队。在规划人生方面，彼得·德鲁克对我的影响最大。早期我急切需要学习企业管理时，通过他的书及本人，他成为我的导师。后来当我进入人生下半场时，他又引导我从成功走向意义。我放了两本书在办公室，一本是彼得·德鲁克的巨著《管理学》，作为我为人处世的指南，另一本是圣经，作为属灵事务的最高准绳。

光是有彼得·德鲁克为本书所写的序捧在手中，就足以成为写本书的奖励了。其中提到许多对我很珍贵的事，更重要的，提到许多对你有价值的事。一如他是我多年的人生导师，让他也成为你的导师，教导你正确地诠释生命中发生的事吧！

不可否认的，我的第一个团队是与妻子玲达二人组成的，她是个十分特殊的人，与我迥然不同（感谢主），但有时，我却不能分辨什么是她的想法，什么是我的想法。我无法想像，若缺了这位我深爱且尊重的人，人生将是什么模样！当然，不可少的是6年前在肉体上离开我们，但精神上仍与我们同在的罗斯，我惟一的儿子。在许多方面来说，罗斯是我个性所缺乏的部分，他刚强、充满活力，有强烈感情、热爱世人以及万物。不久的将来，我会再见到他，一同享受永生。

若非有班福德电视公司高效率的运作团队，我是无法开拓人生下半场的。他们尽忠职守，服务客户，且是能干的顾问。

我的弟弟杰夫，是世上最佳、最忠实的伙伴。

蓓丽儿·柏利（Beryl Berry）是我母亲的得力助手，也是我 40 年的得力助手，最长久的同事，她知道我们家中所有的秘密——包括好的、坏的及丑恶的。

我向贷款给我们的 4 家银行致最深的谢意。总部设在密西西比州杰克森城的公民广播公司（Civil Broadcasting），是容许我参与公民权利运动的管道。他们证明了一件事：在种族歧视浓厚的美国南方，仍可以建立多种族却团结的团队。他们的电视台总是制作第一流的节目，总是做正确的事。

我们的机构"领袖关系网"的心脏、灵魂和良心是佛烈德·史密斯，他是世上最诚实的人，他与其他的同事在过去 6 年，不辞千里地帮助了11225位我们刊物的读者和1692位参加我们基金会议的人，把这些人的热心变为事实并实践梦想，他们都是第一流的同事。尤其是保罗·罗宾斯、哈洛德·米拉及佛烈德·史密斯，他们是"领袖关系网"原始概念的关键人物。

有一群特殊的人，我称为网络关系人（net－workers）或中间人（deal makers），没有他们，我就无法与合适的传道人或牧师联络上，以至于能配搭事奉。

我深深地感激我所谓的"美国基督徒的回声"，他们勤奋不倦、精力充沛、见解新颖、精辟和积极乐观的态度，是我最佳的导师。

十分谢谢投资在我下半场事业的好朋友们、我们基金会的股东，和参加我们"领袖关系网"主办活动的朋友们，我都在此致谢。

我身为三个小组的成员，一个小组着重电话联络，另外两个则是当面交谈。他们慷慨地让我与他们的生活有份，让我说

出心事，帮我理清思绪，且给我明智的意见，成为我思绪生活中不可少的一部分。

谢谢彼得·德鲁克非营利管理基金会，我很荣幸担任他们早期的董事，同事们都有美好的见证。杜拉克基金会的创会总裁法兰西丝·黑赛滨不眠不休地工作，使得基金会得以成立。这基金会帮助了好几个非营利性的下半场事工得以展开。

凡阅读本书的读者都能感受到，迈克·卡米的意见对我的一生有重大、扭转性的影响。

我和玲达在达拉斯和泰勒二地有一群好朋友，我们彼此分享快乐、痛苦、生长、死亡，彼此建立、拆毁、哀伤及跳舞，一同经历所罗门在《传道书》三章所提的人生百态。

青年总裁协会和世界总裁协会花了几百小时，把最佳的教育及想法灌输给我。青年总裁协会是世上最优秀的成人教育机构，而我是过了成年期后，才真正开始学习。

衷心感谢一些属灵的导师，教导我看圣经，且把圣经的教训应用在生活中，对我的人生有极大的影响。

最重要的是，我要倾全力感谢上帝。渺小有限的我，能与创造宇宙万物的真神一同工作，这是只能意会、不可言传的喜乐。直到看了彼得·德鲁克为本书所写的序之后，我才领悟到自己正与上帝一同工作。他介绍的是一本超过我能力范围所能写的书，我尽力尝试着写，可是写不出来，但奇迹似的，现在却呈现在读者面前，这一切完全归功于上帝。上帝啊！我要归荣耀给你！

讨论提纲

　　欢迎您开始"从成功到有意义"的旅程。在全美各地，许多读者把《人生下半场》反复阅读了好几遍。一如作者鲍伯·班福德所说："第一遍是看我的故事，第二遍是看他们自己的故事。"讨论提纲的目的，就是帮助你用比较谨慎且循序渐进的方式，来处理你人生的下半辈子。

　　这提纲可作为个人研究的材料，但最理想的是用在小组里。跨入人生的下半场并非单靠个人的意愿，还需要毅力、纪律、真诚，并理清混乱的思绪，在小组里一群关切你的朋友就能提供这些不可或缺的因素。

　　在使用提纲之前，请先思想下面几个步骤：

　　准备。提纲中的问题就是直接从每一章选取出来的，所以在回答问题之前，请先复习相关的篇章。

　　选小组长。若小组讨论无人带领，小组的动机性就很难发挥适当的效果。在每次小组讨论之前，请选一位带领的人，使讨论不至离题，且让每人有发言的机会。如果可能的话，可让大家轮流带领。

　　诚实探讨问题。通常足球在中场休息时，教练都会做个精练的讲话，同样的，你的中场就是反省检讨的时刻。省思的主

要关键就是省察内心。请参照后面的资料，深深地省察自己
吧！

鼓励做个守信的人。讨论提纲不论用于小组或个人，一定
要找一位"向他负责的人"，他会帮助你实行诺言。请找个能
让你说出真心话，却又不会轻看你的人。人虽对自己有很高的
期许和目标，可是总有软弱的时候，如果有人在旁守望，当我
们软弱的时候，他就能协助我们再次振作起来。请让此人有探
问我们中场进展的权利。这样的关系与自己一个人阅读讨论提
纲且应用在生活上不同，可以产生更好的效果。

把答案写下来。讨论提纲的问题时，请把答案写在纸上、
输入电脑或写在日记里。写下来比只在脑海里回答好，因为可
以有比较深刻的反省，具体地表示你对探讨人生中场问题的承
诺。几星期、几个月过去后，还可以回去翻阅已写下的答案，
它们可以成为中场进展的坐标。

引言：打开心灵密室

1. 请花几分钟的时间，思想你自己的人生终结。你愿意
别人如何纪念你？

2. 鲍伯·班福德写了他自己的墓志铭：一百倍。你想要
在自己的墓碑上刻些什么字？请用一点时间思想，然后用不超
过 10 个字写下自己的墓志铭（限定字数的目的是帮助你把注
意力集中在自己的属性上）。

3. 请把你人生的上半场划分为下面几类：教育、发展事
业、家庭、寻求财富。哪一类占了你生活的大部分？

4. 人的生命一分一秒地消失，最后走向永恒。你对这事有多少认知？目前在你生活中，有哪些事会使得中场检讨有必要且令你兴奋（例如：家庭问题、事业的成功、生意成交带来的兴奋逐渐减低）？

第一部：上半场

第一章　聆听上帝轻柔呼声

1. 用1到10之间的一个数字，来表明在花时间倾听上帝微小、轻柔的声音这件事上，你做得如何？

2. 对你来说，"拥有一切"代表何意？

3. 请翻到第21页的图表，在人生旅途上，你正在哪一垒？你是旁观者、追求真理、主的门徒，还是上帝国度的建造者？鲍伯说，大部分的人都困在一垒和二垒之间。有哪些具体的步骤能帮助你更成熟？

4. 你"凭信心"跨出了信仰的第一步吗？请清楚写明你是何时跨出那信心的一步。

5. 请从上帝的角度来看你的人生。若上帝出声告诉你人生的使命，你想他会说什么？

6. 在第25页，班福德提出了一个很有意思的问题：如果你能拥有完美无缺的人生，你认为它该是什么样子？

第二章　倒转的决定

1. 谁在你少年时促使你做出关乎一生志向的抉择？

2. 你人生的转折点是什么？哪些事件影响了你的事业、家庭生活、社交生活、心灵生活？

3. 想一想这些塑造人生的事件。哪些因素使它们成为重要的事件？别人说的话？别人的行为？

第三章　探索及自助时期

1. 你对改变自己的人生有多强的意愿？把 1 到 10 中间的一个数字（1 表示不愿意改变，10 表示非常愿意）写在纸上，表示你的意愿。

2. 请列举在过去 20 年中，你的人生发生了哪些重大的改变（例如：搬家、换工作、改变管理方式）？

3. 班福德说："像人一样，公司若要有健全的成长，必须周期性地改变它的焦点。"（第 34 页）过去，你个人曾否改变过焦点呢？

4. 你已尝到事业升迁的兴奋滋味，也收获了成功的果实，在得到这些成就的同时，有没有失去什么或忽视了什么？是否有重要的东西遗落在路旁？

5. 班福德 34 岁时，定了人生最主要的 6 个目标（第 36 页）。请为你的未来，定 5 到 10 个主要目标，并把这些目标解释给别人听。

第四章　成功恐慌

1. 在本章开头，班福德说，当他 44 岁时，一个念头不声不响地闯入他的思绪，扰乱了他的人生，那就是成功恐慌。你曾否到过一个关口，心起疑问："多少才算够？"什么时候发生的？当时你生活中发生了什么事？

2. 班福德遇到成功恐慌时，被迫去探讨一套新的问题。请把第 40 页的 4 个问题应用在你的生活中。

3. 本章把"被上帝呼召"与"好高骛远、野心勃勃"划分得清清楚楚。请用你自己的话简述二者不同之处。

4. 请画一条横线，在线的左边写成功，右边写意义。请标出你位于线上何点，且写下今天的日期。

第五章　找到活水泉源

1. 请在纸上画个盒子。你人生的动力源头是什么？上帝真正要你做的是什么？请把答案写在盒子里。

2. 你动力的源头可能不只是一个，可能有两三个。是哪两三个抢着要进入你的盒子？这会带给你的人生何种混乱和困惑？

3. 若你选择基督是人生的动力源头，在生活及事业上应该做哪些调整，才能让你的决定不仅仅是头脑的决定，而是实际的行动？请列举至少 3 项改变或调整，以及预定完成这几项改变的期限。

4. 在第 45 至 46 页班福德说："一如古老格言所蕴含的自相矛盾但奇妙的逻辑一样：施就是受，我们的软弱使得我们刚强，死去就带来更丰盛的生命。"专心跟随主耶稣基督也会带来似乎自相矛盾的道理，你对此事有何认识？正在学习此事吗？

5. 现在你已指出了你的动力源头，这个决定会带来哪些行动？哪些行动能帮助你继续朝这方向成长？

第六章 "罗斯，再会！"

1. 班福德面对独子意外死亡时，整个人被震荡出人生的安逸区。近来有何经历把你震荡出安逸区吗？请用简短的话语描述那经历如何帮助你成长。

2. 人生受到严酷考验时，我们的信心会被迫成长。当你遇到无法控制的情况（病痛、死亡或悖逆的儿女），你如何"靠信心渡过难关"？

3. 在第 52 页班福德提到，该学习以旅客的心态活在世上，不控制世事；做个管家，不是主人；做个战士，不求安逸。请琢磨旅客、管家及战士在你生命中所扮演的角色。哪些方面该有长进？请定一个长进的计划。

4. 在本章，班福德仔细描述了贵格会一种简单的祈祷，其中还附带了一些动作：手心朝上的祷告表示从上帝那里接受所需用的一切，手心朝下的祷告代表把一切的重担都卸在上帝全能的手中。请翻到第 53 页，把书竖立在桌上，照着那页的祷告词祷告。请答应接下来一星期的每一天都如此祷告。然后用一或两句话写下如此的祷告对你的生命产生何种影响。

第二部 中场

第七章 检讨得失

1. 在本章中，班福德介绍检讨人生的几个主要原则：

a. 走出遗憾。在一生中，你有哪些遗憾的事？哪些人与这些遗憾有关？写下那些立即映入脑海之人的名字。你能用何方法向他们解释遗憾？亲自去拜访、打电话、写信或请个朋友做中间人。

b. 付出时间。若不把时间分出来做重要的事，时光就会迅速地从指缝间溜走。请拟定一个确切的计划，把一部分时间分出来检讨得失。

c. 深思熟虑。请拟定一个能帮助你检讨人生重要问题的次序表（时间表）。请翻到第 63 页，用这些问题来触发你的思想。

d. 分享心路历程。与知心朋友或配偶讨论你检讨的结果。你能从中得到一些对你中场的见解和可能做的调整吗？

2. 你比较喜欢猎取、追逐还是安静获得？请说明理由。

3. 在第 66 至第 67 页，班福德提供了一个中场检讨练习，帮助你检讨人生上半场。你可能在前几章已回答了一些问题，所以现在就选 4 个新的、适合你目前情况的问题吧！请详细写下每个问题的答案。

第八章　你相信什么

1. 相信一位至高无上的上帝是本书的中心思想。你信仰的中心思想是什么？请花几分钟的时间琢磨你的信仰系统，然后列出你相信的 4 项，每一项用"我相信……"做开头（例如，"我相信圣经是我每日生活的指南"）。

2. 你的信仰与下列各项有何关系？

a. 家庭生活　　b. 事业

c. 所住社区　　d. 你的私生活

第九章　找到真正要你做的事

1. 假如你尚未看过《都市滑头》这部影片，请去租录像带来看。特别注意本书所引用的那段情节，就是克利斯托和巴兰斯讨论人生秘诀的那段。克利斯托对何事搞不清楚？

2. 许多人从未发现自己的独一无二之处，虽然晓得应该存在于某个地方。过去，你曾让何事暂时地满足你对寻求上帝真正要你做的事之渴望（请参考第 78 页所记的三项）？

3. 你是否追寻别人为你定的梦想和愿望，而那并不是自己的梦想和愿望？从你的经历举出两个例子，一个正面的，一个负面的，并说出它们的结果。别人可以对上帝真正要我们做的提供建议，但只有我们自己才能发掘出那究竟是什么。这是个"隐藏在明处"的真理。

4. 想想你与别人不同之处。上帝每造一个人之后，就换一个新的模式，不采用工厂式的大批制造。身为独特的个体，你如何规划你人生的目的？班福德把这目的解释为"你所擅长且喜爱做的事，就是没有薪水也愿意做的"。你的人生最高理想是什么？只需些许微风就能点燃成熊熊烈火的火苗是什么？

5. 彼得·德鲁克如何区别效率和效果的不同？他的定义如何应用在你寻找上帝真正要你做的事之过程中？

第十章　从成功到意义

1. 在生活中，你收到哪些信号，让你觉得仅有成功是不够的？在第 78 页中，班福德提出了几个他发现的信号，请用他的想法来启迪你的发现吧！

2. 人是否可达到卓越的地步呢？若你已达到卓越的地步，是否仍觉得还缺少什么？如果是，你缺少的是什么？

3. 请复习第 83 到第 84 页有关班福德的朋友豪尔德的故事。当你的朋友或同事告诉你，他们在事业或生活形态上做了巨大的改变时，你的反应如何？

4. 在第 85 页，班福德说，若想要开始从成功走向意义，必须停止冲刺，"重新规划人生"。知道什么是你人生的中心之后，环绕着那中心，你该采取哪些步骤来重新规划人生？哪些东西该剔除？

5. 重新规划人生，并不一定意味着人生要有 180° 的改变。你能够用何种渐进式、非激烈式的改变，来调整生活？

6. 追寻有意义的人生，就表示一定要做你不喜欢的艰难任务吗？请温习第 86 页的系统分析师的故事。如何能使自己避免尝试完全不适合自己的工作？

7. 请为你理想中的下半场事业或平行事业做一番描述。你须采取什么步骤才能得到那工作？

第十一章　找到中心点且留在那里

1. 班福德提到在疯狂争取生意时的焦虑，和等待新交易机会时的无聊乏味，以及两者之间的平衡。请回顾你人生的上

半场，你能掌握多少的平衡？什么时候失去了平衡？在人生的哪一阶段你有平衡的生活？请说明。

2. 罗拉·娜希指出，商业界的基督徒要面对 7 种共同的拉扯力（第 90 页），你遇到哪些拉扯？哪一种对你最重要？

3. 上述 7 种拉扯，"不仅必要，反而带来益处……知道自己绝对无法化解这些拉扯后，内心就会得到平静。"请说明你如何处理这些拉扯，且从中愈发意气风发。

4. 班福德在第 92 页写道："无论我们处于困惑中、死荫的幽谷中，或混乱的隧道中，一切熟悉的指标全消失殆尽的时候，上帝仍与我们同在，与我们一起克服困难。"请回想在人生的哪一阶段，上面这句话是你亲身的经历？请写一张谢卡，感谢上帝在困惑中与你同在。

5. 在本章的最后两页，班福德提到他有个十分诱人的生意机会，但最后却放弃那笔生意。你曾经推辞或升迁或赚钱的机会吗？为何推辞？为何不推辞？

第十二章　留在球场，但调整策略

1. 你可能无法效法班福德，在人生下半场中不再倾全力投入原有的事业。在事业中，你如何用信心跨出这一步？请花两三分钟的时间，幻想你的未来是如何的人生。

2. 对自己的工作，你有怎样的感觉？"非常喜爱，公司不付薪水，我也愿意做下去"，还是"受不了这工作，不论赚多少钱都不愿再做下去了"？在纸上画一条横线，两端就代表上述二种态度。请在线上某处画个×，代表你对目前工作的感觉。

3. 班福德说："要有成功的下半场，关键不在于换工作，而是在于改变心态，改变世界观和重新规划生活。"请琢磨这句话。你能怎样修改或调整你的世界观？怎样重新规划人生？

4. 你可以用地震测验这个方法，来帮助你重新规划下半生。找两位你所尊敬且信任的朋友或精神导师（容易联络上的），约个时间见面，请教他们："你认为我在哪方面最能帮助人？"然后仔细听且写下他们的话。

5. 班福德说："你无法用上帝没有给你的才干服事他。"（第101页）你认为自己能以哪种最佳的方式服事上帝？请用一个句子写下答案。

6. 接着第5题的答案，你能做哪些低成本的探测？列出你能把才干和能力用在神的事工和教会里的三种方式，且你能获得第一手的经验。哪一种方式能发展成新事业？如何做？

7. 你可能在考虑下半场的事业，但仍喜欢上半场的工作。你如何用一半的时间做完上半场的工作？

第十三章　重叠的曲线

1. 请研究一下第109页的图，然后再面对同页下面所列的恐惧。哪一项对你有最切身的关系？也可能你担心的是与这些完全不同的事，请写下来，在中场时就该专注在这方面。

2. 如何利用重叠的曲线（第109页），帮助你有持续的成长？在人生重要的层面（工作、人际关系、属灵生活）上，你在曲线的哪一点？请利用重叠曲线的原则，为你自己定一个实

际的行动计划。

3. 请翻到第 109 页，看作者如何应用一系列的斯格模德曲线。不仅仅是改变工作而已，还包括了在恰当的时间改变工作。如何知道何时是恰当的时间呢？

4. 退休对你下半场的事业有何影响？在本章，彼得·德鲁克下了这样的评语："以往人们认为退休的人是做义工的最佳人选，但事实证明并非如此。他们已把发动机关掉，失去了冲力。"你如何能避免落到那种光景？若想在 10 年之内能有个"平行的事业"，现在该开始做哪些准备工作？如果你有兴趣发展个平行事业，请详细列出每一步骤，且预计完成每一步的时间。

第十四章　跃入深渊

1. 班福德的桌上放着个座右铭："为上帝办事去了。"请想一个对你很重要的座右铭，并将它写下。

2. 上半场着重在获得，但结果往往是失去；下半场则着重在松手和放弃，但反而带来能力。请列举 3 到 5 项，若想跨入人生下半场必须松手或放弃的东西。

3. 或许你已超过了班福德所谓中场 45 岁的年纪。而"任何一个厌倦了生活的人，都能把下半场改变得更好些"（第114 页）这句话，对你有何鼓舞作用？

4. 你正在考虑跨入下半场的事业，何事使你踟蹰不前？请写出拦阻你进入下半场事业的 3 种障碍，然后指出克服这些障碍的方法。

5. 请花一点时间自我反省。现在是发展下半场事业的适当时机吗？你想何时跃入深渊？从本章末段吉姆和杰克的故事，你学到什么功课？写出每个故事的关键原则，然后想想如何应用在生活中。

第三部　下半场

第十五章　人生使命

1. 请温习安德鲁·卡内基（第 123 页）和鲍伯·班福德的人生宗旨（第 124 页），然后用一或二句话写出你自己的人生使命。

2. 在第 124 页班福德一条条地列出他的人生承诺。你的人生承诺是什么？请用他的承诺来触发你的思维，列出人生 7 方面的承诺。

3. 彼得·德鲁克提出二个重要的问题，来帮助你发觉自己人生独特的角色。你有哪些成就（才干）？对哪些事情有责任感（人生憧憬）？请写下这二个问题的答案。

4. 专心琢磨该如何界定你的人生使命。请定个时间，以第 125、126 页做指南，写下你的人生使命。

第十六章　再度驾驭

1. 思考一下你目前的行程记事表和每日活动。你"人生之杯"还有空间容纳新的东西吗？为了能挪出一些时间，请列出 4 项该改变或剔除的事。

2. 每个人都有经济资本和社会资本（第127页）。你如何使用经济资本？如何使用社会资本？回答这二个问题之后，请审查每一项目。是否该把一些经济资本转变为社会资本？请写出具体的改变计划。

3. 班福德写道："下半场就是要重新拾回对生活的驾驭，做你决定要做的事。"他举了彼得·林奇和他改变事业的例子。如果你无法控制你的事业、生活，那么，你人生其他重要的层面，将来可能遭受到怎样重大的损失？

4. 再度驾驭不仅仅是控制自己的行程表而已，还包括心态的改变，而专注在你的"真我"上。心理学家米哈利·齐克沈米哈夷说："能掌握内在经历的人，就能决定他人生的品质，这就最接近我们所向往的快乐了。"用1到10之间的数字，来表明你如何掌握自己内在的经历。

5. 有个很明智的格言："更精明的工作，不是更辛苦的工作。"写下能使你把这格言应用于工作上的3个方法。

6. 你能对别人说"不"吗？有些人在这方面比较有勇气。如果你在这方面有挣扎，就记下你每一个已推辞的工作或不愿意做的工作，这个清单能鼓励你朝这方向走。

7. 请回顾过去3个月来每天的行程表，每星期有多少时间是独处的时光？能做哪些调整，使你每星期有一段个人独处的时间？

8. 放眼审视你的同事和同侪，他们消耗你的精力还是增强你的精力？你能做何种改变，使你与喜欢的人一起工作？

9. 你的财富消耗你的体力和情绪吗？为了能再度驾驭你的人生和资产，该缩减哪些东西？

10. 想一想电话吧！很多人已开始怕听到电话铃声。电话对你的人生有多大的支配力？如何能"学习优雅地避不见面"？

11. 列出你喜欢的3项娱乐或嗜好。你大约花百分之多少的时间在每一项上？你觉得时间太多、刚好，还是太少呢？要如何调整到刚好呢？

12. 请温习班福德从彼得·德鲁克学习到的3个最重要原则（第134页）。哪一项原则你实行得最好？哪几项该改进？请做个具体的行动计划，在生活中加强你较软弱的那几环。

第十七章　健全的个人主义

1. 请翻到第138页关于小我和大我的图案，你是哪一种？你该采取什么行动，使小我变成大我？

2. 你把自己的事业归于哪一类？独立自主？依赖别人？相互依存？班福德对相互依存的定义是："领悟且接受靠一己之力是无法成事的事实。"你能采取哪些实际行动，帮助自己走向相互依存？

3. 你既然已开始了解自己的人生使命，这使命如何帮助别人？举出你这新使命能帮助别人的两个方法。

4. 翻到第143页，细想区分健全个人主义和不健全个人主义的路标。你在哪些方面能有所改进？请列出一个在接下来几个星期里能实际改进这些方面的方案。

第十八章　活到老，学到老

1. 你肯定自己是个活到老、学到老的人吗？回想你的求

学阶段，你一直用勤奋好学的态度吸取新知识吗？还是公式化、不情不愿地学习新知识？

2. 回头察看一下你写的人生使命，你一向有系统地吸收与你的目标相关的信息吗？

3. 你的学习范围有多么专业化？回想一下你的事业，多年来，你的才干是更趋狭窄还是更宽广？哪些步骤能帮助你成为博学广闻者，而不是狭窄的专家？

4. 在"活到老、学到老"的心态下，你如何选择学习的科目？班福德提供一个简单的原则："若学习对你是最重要的课程，就能学得最好。"试着回想一下你近来所吸收的新信息，这些信息中有哪些对你而言是不重要的？

5. 你学习的系统够多元化吗？在第150至第151页，班福德列举了好几个不同的学习方法。请用下面三个指标来评估一下你使用每个方法的情况：

a. 应增加

b. 应减少

c. 刚好

6. 选择第5题中你想有所改进的一个学习方法。写出一个更多使用这个学习方法的简单方案。

第十九章　尊重外界

1. 为何把下半场族比喻为巴松管手呢？请完成下列的句子："我必须……才能成为巴松管手。"

2. 请审视一下你周围的环境。有哪些外在因素是你不能改变，但永远会存在的？你接受且尊重这些因素吗？班福德说："只有当你知道尊重外在因素时，才能找到创造性的方法，把外界因素转变成自己的转机。"

3. 如何把不能改变的外在因素改变成对自己有利的机会？请回想微软公司总裁比尔·盖兹的经历（第 154 页），和电视色情片对鲍伯·班福德的压力（第 155 页）。从这两个故事中你得到的体会是什么？将如何应用在生活中？

4. 你对生活中的权威或主管抱持何种态度？班福德在 156 页写道："无论你是否愿意，规则支配着你的行为，遵守规则，得胜的机会就大些；违反规则，就连打完一场球的机会都没有。"你如何把这明智之言应用在生活上？

5. 请举出你生活中的两个问题和难处。靠着与上帝的关系，你如何发现有上帝的恩典和自由来承受这些难处（请考虑你在外界自然环境与上帝超自然的权柄之间找到的平衡）？

第二十章　全力以赴

1. 你如何能避免一只脚踏在上半场，一只脚踏在下半场的情形？

2. 思考一下你处在人生球赛的哪一阶段？你打整场球赛还是只打上半场？在球赛中，你已经做了哪些牺牲？

3. 请琢磨汤玛斯·墨顿所谓的"隐藏的完整"的意思。在你的生活中发现这事实吗？

4. 顺服上帝并不表示你必须去落后的国家、做你不喜欢的工作。试想"上帝从不浪费他已培植的基础"这事实。当你

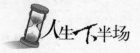

在寻求上帝要你如何在下半场服事他时，这句话对你的思维有何影响？

第二十一章　50/50 的提议

1. 在本章开头，班福德说他盼望每个进入人生下半场的人都采用 50/50 的策略。请用你自己的话语解释他的概念。

2. 请温习 164 页所列举的相反价值体系和态度，省思疏离生活与合群生活的区别。在下半场时，你愿过哪一种生活？现在你过的是哪种生活？

3. 你对上帝的信仰是如何积极的融合在日常生活中？除了分发福音单和对人传讲福音之外，人们还可以从哪些方面看到你的信仰，而不只是听到你的信仰？

4. 请温习 166～167 页班福德重述他对美国基督教界的审视。在你自己的生命中，如何觉察这个潜在的力量？该采取哪些步骤把这潜力发挥出来？

5. 班福德说："改善社会的关键就在于每个人负起自己的责任（第 167 页）。"请想想你所处教会的现况，你该负起怎样的角色和责任来改变它？

6. 在中场检讨得失的整个过程中，祷告在你日常生活中占着何等重要的地位？你如何能找到勇气，去追寻从上帝那里得来的梦想？

图书在版编目(CIP)数据

人生下半场 /（美）班福德著;杨曼如译. – 南昌：
江西人民出版社,2005.9
ISBN 7-210-02834-X

Ⅰ.人… Ⅱ.①班…②杨… Ⅲ.人生哲学–通俗
读物 Ⅳ. B 821–49

中国版本图书馆 CIP 数据核字（2003）第 122725 号

人生下半场

（美）鲍伯·班福德 著

杨曼如 译

江西人民出版社出版发行

南昌市红星印刷厂印刷　新华书店经销

2005年9月第2版　2005年9月第1次印刷

开本:889×1194　1/32　印张:6.125

字数:125千　印数:1–5000册

ISBN 7-210-02834-X/B·106　定价:19.00元

江西人民出版社　地址:南昌市三经路47号附1号

邮政编码:330006 传真:6898827 电话:6898893(发行部）

E-mail:jxpph@163.net　web@jxpph.com

(赣人版图书凡属印刷、装订错误,请随时向承印厂调换)